DECOUVRIR

LA PROVENCE

Texte : Michèle Aué

TABLE DES MATIÈRES

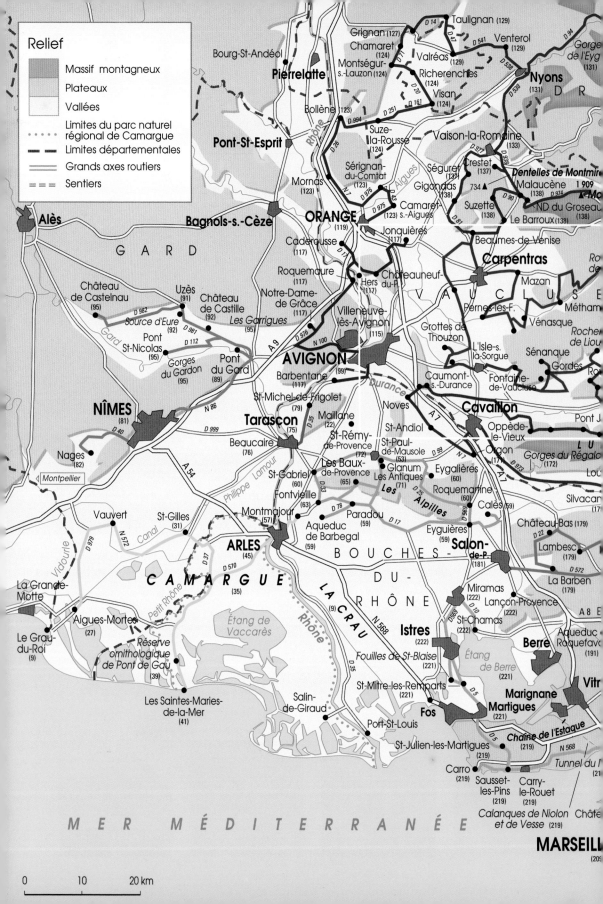

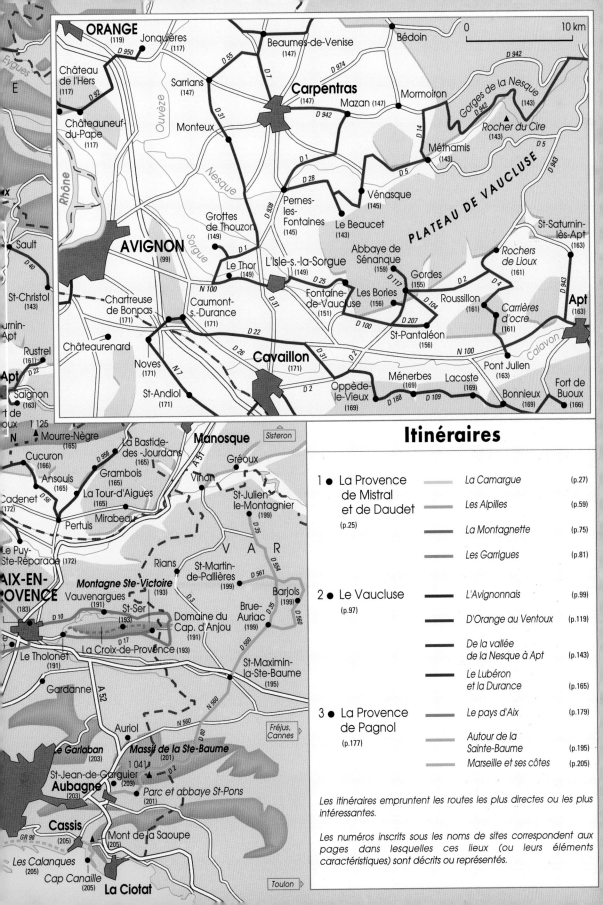

Itinéraires

1 ● La Provence de Mistral et de Daudet (p.25)

La Camargue (p.27)
Les Alpilles (p.59)
La Montagnette (p.75)
Les Garrigues (p.81)

2 ● Le Vaucluse (p.97)

L'Avignonnais (p.99)
D'Orange au Ventoux (p.119)
De la vallée de la Nesque à Apt (p.143)
Le Lubéron et la Durance (p.165)

3 ● La Provence de Pagnol (p.177)

Le pays d'Aix (p.179)
Autour de la Sainte-Baume (p.195)
Marseille et ses côtes (p.205)

Les itinéraires empruntent les routes les plus directes ou les plus intéressantes.

Les numéros inscrits sous les noms de sites correspondent aux pages dans lesquelles ces lieux (ou leurs éléments caractéristiques) sont décrits ou représentés.

1

DEUX MILLÉNAIRES DE SOLEIL

AVEC RHÔNE ET MISTRAL…

DE LA « PROVINCIA » À LA PROVENCE

1

AVEC RHÔNE ET MISTRAL...

Qui pourrait reprocher à Van Gogh, la violence de ses couleurs, la vibrante plénitude de ses dessins et l'ardente lumière de ses ciels ? Rien n'est exagéré, ni ses iris chevelus, ni ses oliviers gris-vert, ni ses soleils bleu de nuit. Largement ouverte sur la Méditerranée, la Provence respire, à pleins poumons, l'air vif du large, aussi bien par l'ample embouchure en delta de son fleuve, *lou Rose*, le Rhône, que par la côte échancrée en longues écharpes indigo de ses calanques, à l'est, ou par les vagues soyeuses et tendres de ses cordons littoraux, à l'ouest, où se lovent Le Grau-du-Roi et Port-Camargue.

Camargue et Crau sont nées, toutes deux, de l'actif travail d'accumulation des rivières : alluvions douces et fluides dans les parages du Vaccarès entre Grand et Petit Rhône, graviers et galets de la Crau, amoncelés en cône de déjection par la Durance qui fut, un temps, un grand fleuve courant, à travers le pertuis de Lamanon, vers les rives de la Méditerranée.

Et, par-delà, rangés en vagues parallèles, bousculés par l'inexorable exhaussement du grand arc alpin, les chaînons provençaux lèvent vers le ciel, le front blanc de leurs falaises en dentelles de pierre. Massifs de Marseilleveyre et de l'Estaque, Sainte-Baume et Sainte-Victoire, Montagnette, Alpilles et Lubéron, plateau de Vaucluse et mont Ventoux, chaque massif se dresse en obstacle et biffe l'horizon du trait clair de son échine minérale. Dans les dépressions qui s'évasent en lignes souples entre les chaînons, le sol épais et fertile a accueilli, forêts de chênes et de pins, oliveraies au feuillage d'argent, alignements réguliers

Champ de lavande près de Sault

des coussins bleu-violet des lavandins et vergers odorants où mûrissent les douces amandes et les abricots dorés.

Pays du calcaire, roche perméable finalement bien fragile, les chaînons se trouent d'avens et de gorges taillées en canyon, comme celles de la Nesque ou du Régalon, et, pour certains d'entre eux, capturent les eaux de ruissellement, abandonnant les sols à l'ardeur du soleil pour mieux dissimuler les cours mystérieux et compliqués des rivières perdues qui surgissent, soudain, en fontaines abondantes, au pied des falaises. La fontaine de Vaucluse est si typiquement une résurgence que son nom est à l'origine, en géologie, du terme générique de source vauclusienne. Même si le blanc lumineux domine dans la couleur des sols, la Provence nous ménage une de ses exceptions inoubliables, avec les ravins écarlates et safran des ocres de la région de Roussillon. Et l'on en revient toujours à Van Gogh qui a enfin trouvé là, sans fard ni artifice, sa palette de teintes franches et vives.

Par sa position si méridionale, la Provence peut jouir d'un climat que l'on se plaît à considérer comme presque idéal. Mais, comme pour tout phénomène naturel, il faut nuancer et éviter les affirmations par trop catégoriques. Bien entendu, le caractère essentiel de ces terres ouvertes sur la Méditerranée reste l'ensoleillement : autour de 2 500 heures par an, c'est exceptionnel !

Sous le dôme très stable d'un anticyclone qui remonte depuis le Sahara, la sécheresse et la chaleur s'installent pour les longs mois d'été et donnent à la Provence, ses attributs de terre bénie des dieux. Le touriste frileux y satisfait ses instincts primitifs qui le font lézarder sur les plages, mais l'horticulteur et le maraîcher ont dû confisquer l'eau des nappes internes, creuser puits et canaux, capter les sources, faire des réserves et, comme dans tous les pays où sévit la sécheresse, apprécier la vraie valeur de ces perles de fraîcheur qui jaillissent des fontaines. Mais la Provence reçoit, pourtant, son quota de précipitations, six cents milli-

Rustrel : le Colorado provençal

Barjols : une fontaine ▶

mètres, en moyenne, autant qu'à Paris. La seule et grande différence reste la répartition, très inégale, des pluies.

Ici, pas de crachin où les gouttes si fines semblent danser dans l'air. L'averse d'automne est violente, nerveuse, drue, et certaines se réservent de telles quantités d'humidité qu'elles peuvent, sans complexes, prendre le nom de trombes d'eau. Les perturbations vaporeuses, qui arrivent dans les bagages des vents d'ouest, ne butent plus sur le gros dos de l'anticyclone qui s'est décalé vers le sud et s'abattent, sans ménagement, sur la vallée du Rhône et les petits chaînons provençaux. Ce sont, elles, les véritables responsables des sautes d'humeur, si meurtrières, des cours d'eau méditerranéens. L'Ouvèze, l'Aigues, la Durance passent, subitement, de la gentille rivière aux eaux turquoises chahutant sur les rochers, au monstre mugissant, opaque et terreux, engagé dans une course folle, avalant, avec la même fureur, berges tendres, digues, ponts, routes et maisons.

Puis vient la saison froide, le ciel retrouve sa lumière. C'est que le *grand balayeur*, celui qui dicte la loi d'hiver, le *maître*, le mistral s'active. Venu du nord, il fait grelotter la Provence et pencher les cyprès. La violence est dans son caractère mais, s'il se déchaîne subitement, il s'arrête tout aussi soudainement. Et le printemps revient, hésitant et indécis, entre les galops glacés du mistral, les averses revenues de l'Atlantique et les douces journées de soleil où se distillent les premiers parfums.

La mise en valeur d'une terre aussi attachante s'est accomplie dès les premières époques humaines et les Provençaux, du néolithique à aujourd'hui, en ont fait leur pays, avec ses traditions et son âme, et nous offrent, comme un bouquet de fleurs du marché d'Aix-en-Provence, ses santons, le sel de sa Camargue, les plans réguliers de ses rizières découpées en clos, sa tarasque maléfique et domptée, son pont d'Avignon, l'éclat de ses calanques et, sur un fond d'azur et de cigales, les *lettres* éparses du vieux Daudet.

Les deux seigneurs de Provence

Le **mistral** est un vent du nord nord-ouest qui emprunte le couloir rhodanien, débouche en hurlant dans les plaines du delta et va se perdre dans les lointains, pleins de lumière, de la Méditerranée. Violent, il peut atteindre deux cent cinquante kilomètres par heure. Pas étonnant, alors, qu'il porte le nom de *mistrau*, le maître vent, dans ce pays pourtant soumis au manège incessant d'une rose des vents particulièrement fournie. Un gisement archéologique au sommet du mont Ventoux, royaume légendaire des pierres et du vent, renferme des fragments de poteries, résidus de petites trompettes spiralées et recourbées. La thèse d'un autel votif recueillant les débris des trompettes dans lesquelles les hommes devaient souffler pour conjurer les colères du maître des Vents semble être étayée par la découverte, près de Saint-Jean-de-Garguier, d'un autre gisement de ces *toutouros* utilisés, le jour de la Saint-Jean, dans des processions empreintes d'un paganisme des plus extravagants.

Le **Rhône**, gigantesque torrent fort peu assagi par son passage dans les lacs alpins, descend vers le sud et débouche, bouillonnant et majestueux, dans les plaines du comtat Venaissin. Son débit est énorme et dépasse, au pied des forteresses jumelles de Beaucaire et de Tarascon, en période de hautes eaux, les deux mille mètres cubes à la seconde. Il faut dire que l'Aigues, l'Ouvèze, la Sorgue, la Durance et le Gard lui apportent, en renfort, leurs crues violentes et brusques. Puis, alourdi par ses alluvions, il se divise et divague dans la plaine où il perd ses dernières forces et son delta s'ouvre, en triangle, sur le monde fabuleux de la Camargue.

1. La bouillabaisse

2. Olives sur un marché provençal

3. La soupe au pistou

4. Calissons d'Aix-en-Provence

5. Berlingots de Carpentras

À la provençale...

C'est dans la cuisine provençale que se concentrent tous les effluves et toutes les couleurs de cette terre exaltée par le soleil et le vent. Bannis la fadeur et l'ennui ! La pointe d'ail et le parfum de l'olive pressée en huile onctueuse aux reflets mordorés, s'unissent pour réveiller, dans une explosion de saveurs délicates, poissons et légumes. Honneur à celui qui fait chanter la table, l'aïoli, où l'œuf, l'huile et l'ail pilé et juteux se dilatent en rondeurs dorées. Il accompagne obligatoirement son plat de morue et d'escargots, appelé par mimétisme... aïoli. Et surtout, n'allez pas confondre soupe de poissons, bourride et bouillabaisse. On ne vous le pardonnera pas. Broyée et moulinée, la soupe de poissons devient bouillon épais où se cachent les croûtons frottés d'ail. C'est au court-bouillon que seront cuits, pour une bonne bourride, les poissons blancs, loups, baudroies et merlans, dressés sur des tranches de pain grillées et aillées et sur lesquelles on laisse couler la mousse légère d'un aïoli, allongée puis épaissie avec le court-bouillon. Mais pour la reine, l'incomparable et la très chère bouillabaisse, ce sont les poissons de roche, rascasses, congres, lottes et les crustacés, langoustines et moules de Bouzigues, qui en sont les ingrédients incontournables. Son secret réside dans son nom. Elle doit successivement, coups d'œil et coups de main recommandés mais peu partagés, bouillir puis baisser et, ainsi, mêler, divinement, l'huile et le bouillon. Ébouillantée, émiettée, humectée d'huile d'olive et de lait, la morue devient, peu à peu, dans la région nîmoise, une brandade – en vieux provençal, une bouillie bien remuée – où se mêlent les saveurs fortes de la morue, les parfums de l'olive et de la truffe et l'onctuosité du lait devenu crème. Anchoïade, *tapenade*, rouille accompagnent les légumes consommés crus mais habillés des fines brisures séchées du thym, de la sarriette, du romarin, de la marjolaine qui composent le manège odorant des herbes de Provence. Si le basilic parfume délicieusement la soupe au pistou, il n'entre pour rien dans l'appellation, si imagée, de cette recette fameuse. Le pistou est, en, réalité, le pilon qui sert à écraser, dans le mortier, le basilic, l'ail et l'huile d'olive. Les petites pâtes, qui gonflent dans le bouillon, en font un plat complet d'une grande richesse. Bien plus simple, mais toute aussi exquise, *l'aïgo boulido,* à base de pain et d'œufs, était autrefois la soupe du pauvre. Quant au bœuf en daube, il a dû, pour mériter son nom, cuire à l'étouffée dans un récipient fermé où mijotent les morceaux choisis et le vin rouge. Et dans le grand jardin provençal, la profusion de ses légumes frais, courgettes, poivrons, artichauts, fenouils, aubergines, oignons et sa vedette incontestée, la tomate dans sa robe écarlate, se mêlent en sarabande pour nous offrir les ratatouilles parfumées, les farcis, les beignets et les *tians*, ces gratins odorants où se mêle une poignée de riz. Mais un repas provençal ne peut se concevoir sans la dernière petite note sucrée des fruits méditerranéens. Les douze apôtres et le Christ, les treize convives de la Cène, sont à l'origine des treize desserts du réveillon de Noël : raisins, figues, amandes, noix, poires, pommes, abricots confits, pâte de coings, melons d'hiver et, bien sûr, la succulente *pompe à huile*, les calissons d'Aix-en-Provence en habit blanc, le nougat noir et le nougat blanc de Montélimar. Mais rien n'empêche d'y rajouter, *oreillettes* et *chichis, croquants* et saupoudrés de sucre, petites *navettes* ovales et dorées à point, sans oublier les jolis berlingots multicolores de Carpentras. Et pour accompagner agréablement le tout, le sommelier proposera un petit vin, rosé de préférence. Mais il aura le choix, dans toutes les couleurs de la palette des vins, depuis le gigondas et le châteauneuf-du-pape, jusqu'aux rasteau, beaumes-de-venise, tavel, listel ou autre bandol, fruités et délicats.

2

DE LA « PROVINCIA » À LA PROVENCE

Du néolithique provençal, nous sont parvenus les vestiges des huttes et des cabanes en bois, abris déjà élaborés, de ces populations qui se sédentarisent en ouvrant des clairières dans les forêts de chênes et de pins et en cultivant un terroir qu'elles ont choisi, aménagé et très certainement défendu. Un des premiers habitats de ce type a été découvert près du village de Courthézon, dans la riche plaine alluviale, entre Rhône et Ouvèze, au nord d'Avignon. S'installent et s'implantent alors, au sommet d'escarpements qu'ils fortifient, ces peuples encore bien mal connus, Ligures puis Celtes, dont on peut admirer la civilisation, sur les *oppida* de Saint-Blaise, d'Allauch, du Baou Rous et surtout d'Entremont. Rudes guerriers, ils sont fiers de porter, attachés à l'encolure de leur monture ou disposés en groupe dans la décoration de leurs portiques ou de leurs maisons, ces crânes humains, trophées arborés avec orgueil, preuves irréfutables de leur bravoure et de leur intrépidité. Mais ils ne peuvent s'opposer, vers l'an 600 avant J.-C., à l'installation progressive de ces marins, partis de leur cité-mère, la belle Phocée sur la côte d'Asie Mineure, et décidés à fonder un comptoir, bien abrité, au fond de la rade du Lacydon. Entreprenants et actifs, les Grecs font vite de Massalia une véritable colonie phocéenne, de culture et de tradition helléniques. La présence des peuples celtiques autochtones, peu enclins à respecter une paix durable, inquiète les Massaliotes qui trouvent judicieux de s'allier avec une cité qui fait de plus en plus parler d'elle, une certaine Rome. C'est qu'il faut défendre ce littoral où grandissent si bien arbres fruitiers, oliviers et vignes. Les Romains, disciplinés et efficaces, nourrissent le dessein de dominer les rivages si riants de la Méditerranée. L'intervention en Provence est une bonne aubaine et, en 125 avant J.-C., ils libèrent Massalia de la menace toujours plus précise des peuples Salyens, groupés autour de leur capitale Entremont. Et pour clore définitivement cet épisode, ils détruisent Entremont et en dispersent ses habitants. C'est ainsi que, pour gouverner la région, naît *Aquæ Sextiæ*, la future Aix-en-Provence et, plus loin vers l'ouest, Narbonne, lieux de commandement de la *provincia romana*, d'une importance stratégique primordiale entre l'Italie et l'Espagne. Massalia, bien qu'alliée de Rome, reste une cité indépendante et cette écharde hellénique, plantée dans les vastes contrées soumises aux Romains, se devait de jouer très serré dans ses relations diplomatiques avec l'ambitieuse Rome. Jouer, c'est aussi perdre et Massalia défend Pompée contre César. Mal lui en prit car, César vainqueur, la ville porte désormais l'estampille infamante de sa trahison. Vaincue en 49 avant J.-C., elle est ramenée au rang de simple *colonia latina* et figée dans une obéissance muette. Mais commence alors, pour la *Provincia*, la Provence, l'âge d'or de la *pax Romana*, la paix Romaine, assortie d'une incroyable prospérité que l'on doit à cet empereur qui se nomme lui-même, *Augustus*, Auguste, le plus grand et qu'il va bien falloir adorer comme une divinité du panthéon romain. Finalement qu'importe, puisque ces régions savent qu'elles pourront bénéficier des bienfaits d'une civilisation où confort matériel et esthétique raffinée des temples, comme à Château-Bas, vont de pair. C'est ainsi que fleurissent les belles cités… *Aquæ Sextiæ*, Aix-en-Provence, *Arelate*, Arles, *Nemausus*, Nîmes, la très fine *Glanum*, *Avennio*, la future Avignon, *Cabellio*, Cavaillon, *Arausio*, Orange, *Carpentoracte*, Carpentras, *Apta*, Apt, *Vasio*, Vaison dite la Romaine, et la liste est loin d'être exhaustive. Les villes embellissent et s'équipent de toutes les commodités, égouts, fontaines, aqueducs – le pont du Gard en est un imposant symbole – thermes, hypocaustes et *domus*, mais se parent aussi de tous les monuments grandioses édifiés à la gloire de Rome : arcs de triomphe, théâtres, amphithéâtres, portiques, temples et mausolées. Cinq siècles de paix et la romanisation atteint son apogée alors que déjà les progrès du christianisme ont accéléré l'évangélisation de la *Provincia* et permis la fondation de plusieurs évêchés, attestés dès la fin du IIIe siècle après J.-C.. Les Barbares déferlent sur l'ensemble de l'Europe occidentale et la Provence, dans un premier temps, semble un peu épargnée. Les axes de conquête l'ignorent ou la délaissent. Mais lorsque le dernier empereur romain, le tout jeune Romulus Augustule est déposé, en 476 après J.-C., les Wisigoths et les Burgondes se partagent la Provence. Bousculés, puis chassés, ils doivent céder la domination de la région aux Francs guidés par Clovis. Les luttes fratricides qui opposent ses successeurs déchirent la pauvre Provence, proie fragile et si convoitée. Il faut attendre le XIe siècle et le rattachement de la Provence au Saint Empire romain germanique pour que ses territoires, soumis depuis des années, aux incursions sarrasines, retrouvent enfin paix et tranquillité. À l'ouest du Rhône, les comtes de Toulouse ont fait de Saint-Gilles, le berceau de leur dynastie, mais leurs démêlés avec la monarchie française, au cours de la croisade contre les albigeois au début du XIIIe siècle, font tomber sous domination royale, tous les territoires de la rive droite du Rhône jusqu'à Beaucaire. Quant au reste – Saint Louis, en fin diplomate, a marié son frère, Charles Ier d'Anjou, avec Béatrice, l'héritière du comte de Provence – la monarchie française peut donc s'y intéresser de très près. Dans ces conditions, il n'est pas étonnant que le saint roi embarque, pour ses deux croisades, dans le port tout neuf qu'il vient de créer à Aigues-Mortes. C'est ainsi que commence, au XIIIe siècle, la belle époque des rois angevins.

![Glanum, les Antiques : le mausolée]

Glanum, les Antiques : le mausolée

Beaucaire : le château

L'installation des papes en Avignon, même si elle va marquer définitivement le destin de la Provence, n'est en fait que le résultat de circonstances plus fortuites que préméditées. Rome est en proie à des querelles intestines si solidement nouées que les papes, qui ont reçu de la monarchie française, en 1274, le comtat Venaissin et sa petite capitale Venasque, pour leurs bons et loyaux services au cours de la guerre contre les seigneurs méridionaux accusés d'hérésie, préfèrent s'installer là, tout près, dans la bonne ville d'Avignon, sous la protection des comtes de Provence. Depuis 1314 donc, Clément V aime à se retirer dans son monastère du Groseau, près de l'eau vive qui sourd de la falaise, et c'est Jean XXII, son successeur, autrefois évêque d'Avignon, qui choisit les murs solides et crénelés de son ancien évêché pour y finir sa vie. Benoît XII, sévère mais réaliste, ne songe plus à rentrer dans la ville de saint Pierre et se décide à construire cette forteresse élégante mais inexpugnable, appelée, avec un brin d'orgueil, le palais de Papes. En

1348, alors qu'une terrible épidémie de peste ravage le pays, Clément VI profite des ennuis qui assaillent la reine Jeanne Ière d'Anjou pour lui acheter la ville d'Avignon. Innocent VI et Urbain V, puis Grégoire XI songent de plus en plus à ramener le siège de saint Pierre à Rome. Sombre période où, dans les soubresauts d'une histoire chaotique, papes et antipapes se disputent, pendant près de trente ans, à coups d'excommunications réciproques, le droit de représenter Dieu sur la terre. Ce n'est qu'en 1403 que les papes reviennent enfin, et pour ne plus la quitter, dans la Ville sainte. Le comté de Provence tout comme le comtat Venaissin ont profité de cette manne pontificale et malgré la peste qui sévit toujours à l'état endémique depuis 1348, malgré les famines, malgré les routiers désœuvrés et pillards, malgré la rébellion hautaine et sanglante des seigneurs des Alpilles ou du Lubéron, la vie continue tant bien que mal. Et la Provence, va connaître, à la fin du règne du bon roi René, une période de prospérité tranquille et ména-

Avignon, le palais des Papes : le plafond de la chambre du Cerf

gère, loin des grandes ambitions politiques de jeunesse de son souverain bien assagi. C'est le neveu et successeur du roi René qui offre, par testament légal, la Provence à son cousin, le roi Louis XI. En 1481, le comté de Provence est donc définitivement rattaché au royaume de France. Aix-en-Provence, sa capitale, se voit dotée d'un parlement et Marseille devient ce grand port de la Méditerranée où transitent les marchandises de l'Orient et, parmi elles, la peste qui ravage, en 1720, la ville et toute la Provence. La construction d'un gigantesque mur de la peste de Lagnes à Méthamis n'a pu stopper les progrès de l'épidémie.

Plus tard, c'est aux mâles accents du *Chant de guerre pour l'armée du Rhin*, d'un certain Rouget de Lisle, que cinq cents Marseillais, engagés volontaires, après l'appel pathétique de la « Patrie en danger », en 1792, défilent à Paris et donnent un titre à l'hymne national français. Mais c'est à Mistral et à sa *Miréio* que l'on doit la résurrection et la sauvegarde de cette langue pleine de soleil où chantent les cigales.

Maillane : le mausolée de Frédéric Mistral

Peuchère et Pécaïre

Pour un Marseillais de Marseille, le Parisien *parla pounchu*, parle pointu. D'une même langue, le français, imposé par le pouvoir monarchique soucieux de se faire comprendre et obéir, les Provençaux, fidèles à leur vieille et si riche langue d'oc, en ont fait ce parler où chante *l'assent*, encore rehaussé par les tournures, à peine déguisées, d'un provençal qui ne veut pas mourir. Il faut *bouléguer* la salade, pour bien l'imprégner de cette huile d'or au parfum d'olives, et ne pas se laisser *ensuquer* par le vif soleil du Midi ! Au château de Font-Ségugne, en 1854, sept jeunes poètes et parmi eux, Joseph Roumanille et un certain Frédéric Mistral, ont décidé de défendre la langue d'oc, ravalée au rang de dialecte de tradition orale et parfois même, péjorativement traitée de patois. Ils veulent en faire une vraie langue écrite, avec son orthographe, sa syntaxe et l'éclat de son vocabulaire. Les sept Félibres, ces nourrissons des Muses, fondent donc le 21 mai, le jour de la Santo Estello, le Félibrige dont l'emblème sera l'étoile à sept branches. Le succès de *Miréio*, long poème en douze chants, confère au provençal, son statut de langue littéraire et Maillane, le village natal de Mistral confirme ainsi son étymologie poétique de centre du monde. C'est là que vont être composées les œuvres de Mistral, *Calendau* et le *Trésor du félibrige*, somme des richesses linguistiques et culturelles de la Provence, ainsi que *Lou poèmo dou Rose*, le poème du Rhône, écrit dans la veine des épopées des auteurs antiques. Toute en finesse et vivacité, cette langue savoureuse s'ouvre sur la spirale infinie de l'exagération poétique, *l'estrambord*, qui donne le vertige et sur la galéjade, ce mensonge dénoué dans un grand éclat de rire.

2

LA PROVENCE DE MISTRAL ET DE DAUDET

CAMARGUE ET ALPILLES

MONTAGNETTE ET GARRIGUES

LA CAMARGUE

Aigues-Mortes

Posséder dans son nom l'élément naturel qui a si étroitement présidé à son destin n'est pas la moindre des caractéristiques de la petite ville d'Aigues-Mortes, les eaux mortes, en souvenir de ces lointaines années où les flots venaient encore battre ses murailles.

Dans un paysage où l'horizon ne s'appuie que sur le ciel, qui court au ras des étangs et des marais, le périmètre régulier des murs dressés d'Aigues-Mortes condense dans un espace, désigné par ordre royal, toute la vigueur d'une foi irrésistible. Créée de toute pièce par Louis IX, le futur Saint Louis, en 1240, la ville doit ouvrir le royaume de France sur la mer Méditerranée. Par elle, on peut atteindre les côtes de cette

Terre sainte qu'il faut défendre sous peine de se damner. Ce quadrilatère, avec son plan en damier et sa place rectangulaire, la place Saint-Louis, fut cerné de hautes courtines. Dès les années 1240, la tour de Constance, donjon cylindrique, massif, aveugle et indestructible, bardé de herses, de meurtrières et d'assommoirs, fut érigée, hors les murs, au nord-ouest de la ville. C'est par son architecture simple mais irrémédiablement close, qu'elle devint, tout naturellement, un lieu d'enfermement. Les salles hautes, mieux surveillées, ont été transformées en cellules où se morfondaient les ennemis véritables, potentiels ou supposés de la monarchie, depuis les moines templiers de l'ordre décapité sous Philippe le Bel jusqu'aux grands seigneurs trop arrogants et insubordonnés, sans oublier les partisans de ce protestan-

Aigues-Mortes : les remparts

tisme dénoncé comme hérétique et dangereux. Mazel, farouche défenseur de la foi réformée y fut emprisonné mais concocta, avec ses compagnons, une évasion si rocambolesque qu'elle semble sortie tout droit d'un roman d'Alexandre Dumas. Tout y est, la sape discrètement étouffée par les chants psalmodiés avec ferveur, le long cordage de pièces d'étoffe nouées qui pend jusqu'au pied de la tour et la fuite éperdue au creux des marais. De même, Marie Durand, courageuse et inflexible protestante, a supporté, pendant trente-huit ans la détention terrible dans les cachots de la tour de Constance.

Les hauts murs qui bornent la ville ont été construits selon les lois et les principes de l'architecture militaire du XIIIe siècle. La porte de la Gardette, avec ses deux tours rondes et jumelles, protège encore l'étroit passage où se faufile la route qui court vers l'arrière-pays. Avec un soin infini et des difficultés sans nombre, les courtines furent élevées sur un littoral sablonneux et alluvial où la pierre fait défaut. On a charrié, à force de volonté et de courage, des milliers de tonnes de roches extraites et débitées dans les carrières lointaines des Alpilles et de Beaucaire. Tours et portes se multiplient surtout du côté du danger, vers le sud, où nefs, galères et plus tard galions se sont amarrés, balancés par les flots vifs de l'étang qui venait battre la muraille. Un chenal d'accès, le Grau Louis, le faisait communiquer avec le grand large. À l'angle sud-ouest, la tour des Bourguignons fut le théâtre d'un épisode particulièrement sanglant de la guerre de Cent Ans. Les Bourguignons étaient les maîtres de la ville. Les Armagnacs y pénétrèrent par surprise et massacrèrent, dans leur sommeil, un si grand nombre de Bourguignons, qu'il a fallu entreposer et saler les cadavres dans la tour.

Mais enfin, *l'aigue*, l'eau si vive qui clapotait au pied des poternes, disparut lentement. Le sable sournois s'infiltra et étouffa la ville. Le vent ne fouette plus que le littoral lointain où veille désormais le phare de l'Espiguette.

Saint Louis

Pétri d'une foi pure et exigeante que sa mère, la reine Blanche de Castille, a su lui transmettre, Louis IX, Saint Louis, se sent investi d'une terrible responsabilité vis-à-vis de ce Dieu qui a fait de lui, son représentant sur la terre. Charitable, juste, pieux, il multiplie les qualités dictées par une foi profonde qui lui fait réaliser des prouesses. Mais une idée le hante : il n'aura pas achevé son acte de foi tant qu'il n'aura pas accompli sa croisade. En 1240, il décide d'entreprendre la construction, sur la côte méditerranéenne, d'un port en eau française : Aigues-Mortes. Il choisit comme site un petit morceau de terre ingrate que lui cèdent les moines de l'abbaye toute proche de Psalmody. Depuis 1244, Jérusalem est tombée aux mains du sultan d'Égypte. Le pape Innocent IV en appelle aux chrétiens d'Occident. La septième croisade commence. Enfin le vieux rêve de ce roi exalté, à qui rien ne semble impossible, prend corps. En 1248, les nefs innombrables, avec leurs lourdes coques, se faufilent par le Grau Louis et viennent se ranger sous les murs d'Aigues-Mortes. Le roi fait battre pavillon et embarque. Au bout de trois semaines, la flotte débarque à Chypre et l'année suivante les croisés s'emparent de Damiette ce port de basse Égypte. Mais, fait prisonnier à la bataille de Mansourah en 1250, Louis IX doit, dans la plus pure tradition chevaleresque, payer rançon et rendre Damiette afin de recouvrer sa liberté. Parti dans la force de l'âge, c'est un vieillard qui rentre en France. Mais son obstination mystique le lance à nouveau, en 1270, vers la Terre sainte. Il embarque, toujours à Aigues-Mortes, et se dirige vers Tunis où son destin va s'accomplir. La peste frappe les hommes, qu'ils soient rois ou bien manants.

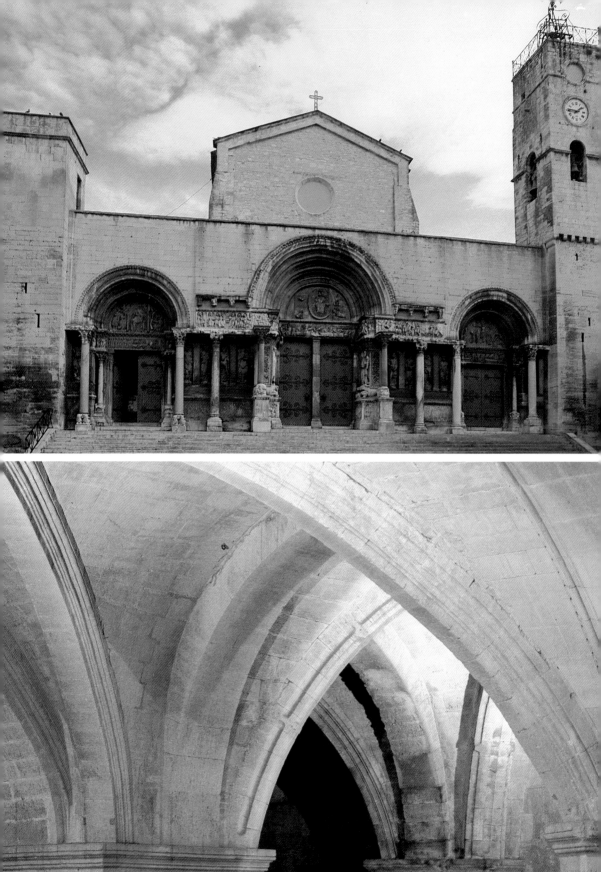

Saint-Gilles-du-Gard

Il est des villes qui, fortes d'une légende hagiographique pleine de poésie et de merveilleux, ont confisqué le nom d'un saint, pour en faire un toponyme ancré dans la région, avec l'ajout très qualificatif d'un complément qui identifie le lieu. Saint-Gilles procède de cette origine. Gilles – il n'est pas encore tout à fait saint – vit en Grèce au VIIIe siècle. Il aurait pu finir ses jours, tranquille et anonyme, si la voix de Dieu ne l'avait exhorté à accomplir des miracles. Laissé à la merci de la volonté divine, il confie son destin et sa vie à une frêle embarcation qui le guide droit sur la côte camarguaise. La retraite solitaire de l'ermite ne l'effraie pas et il s'installe dans une grotte. Sans cette chasse qui hurle aux trousses de la biche au cœur palpitant, point de miracle. Aux abois, la créature court se réfugier auprès de Gilles. La flèche du beau seigneur est pourtant bien partie mais la main de saint Gilles est si rapide qu'elle intercepte, en plein vol, le trait meurtrier. On crie au miracle et ce lieu, sanctifié, semble bien propice à la création d'une abbaye. Le tombeau de saint Gilles s'entoure alors d'un sanctuaire et attire la foule des pèlerins engagés dans leur longue route vers Saint-Jacques-de-Compostelle. L'abbaye, fondée au IXe siècle, ne cessera plus de rayonner au cœur des états de la célèbre famille des Raimond de Saint-Gilles, les comtes de Toulouse.

De l'abbatiale qui fut construite à Saint-Gilles, en auréoles monumentales autour de la crypte où se trouve le tombeau du saint, il ne subsiste que la façade extérieure et les fondations à peine exhumées du chœur. C'est qu'elle a subi les violences aveugles des guerres de Religion, destructions volontaires et calculées, qui ont laissé la pauvre abbaye dans un état de ruine tel qu'il fut impossible de la restaurer dans sa configuration initiale. De plan cruciforme classique, l'ancienne abbatiale possédait trois nefs coupées par un transept transversal et couronnées par un vaste chœur et ses cinq chapelles

La belle lignée des Raimond

En 852, Raimond Ier et Frédelon fondent la dynastie des comtes de Toulouse. Raimond III Pons, fort satisfait de son succès face aux envahisseurs hongrois que l'on craignait comme des ogres, s'attribue, en 936, le titre de duc d'Aquitaine. Mais c'est Raimond IV qui, le premier, portera le nom de Raimond de Saint-Gilles, associé à celui de comte de Toulouse. Il dirige un vaste fief qu'il gouverne en prince indépendant. Il sait tirer profit de cette aubaine divine qui a fait du tombeau de saint Gilles à la fois un centre de pèlerinage et le relais obligé sur la route provençale qui mène vers l'étoile lointaine de Saint-Jacques-de-Compostelle. La chrétienté, en effervescence prépare, sous les injonctions pathétiques du pape Urbain II, une expédition militaire en Terre sainte pour délivrer le tombeau du Christ. La première croisade s'ébranle et, tandis que le pape, en personne, consacre l'autel de la riche abbaye de Saint-Gilles, Raimond IV se prépare à aller guerroyer, à la vie à la mort, autour du saint sépulcre. Il réussit à se tailler dans les sables du Liban, un bien à sa mesure, le comté de Tripoli ! Mais celui qui va entrer, de plain-pied dans l'histoire du XIIIe siècle, c'est Raimond VI, le seigneur d'une terre albigeoise où l'hérésie cathare progresse. Catholique ou cathare ? Raimond VI oscille entre ces deux doctrines. La papauté et la monarchie veulent lever ces ambiguïtés dangereuses et le poussent à prendre parti. Excommunié après le meurtre, à Saint-Gilles, du légat du pape, Pierre de Castelnau, il devient le suspect à abattre. Tour à tour soumis et révolté, il lègue à son fils un bien empoisonné et Raimond VII, malgré ses qualités, n'est pas de taille à défendre ses prérogatives contre une monarchie de plus en plus puissante.

rayonnantes. Les bâtiments conventuels et le cloître ont eux aussi disparu.

La façade de l'église abbatiale, endommagée pendant la Révolution, tronquée de toute la partie supérieure qui devait lui donner fière allure, reste pourtant un chef-d'œuvre de l'art roman. Ses trois portes surmontées de trois tympans aux voussures en plein cintre sont reliées entre elles par des sculptures intermédiaires qui comblent tous les espaces vides entre colonnes et pilastres. Telle une gigantesque bande dessinée, toute une théorie de personnages, traités en hauts-reliefs, avec une rigueur étonnante, tant pour la forme que pour les volumes ou le drapé des vêtements, mettent en scène la vie de Jésus et notamment les tragiques épisodes de la semaine sainte. Cernés par un bestiaire fabuleux, les tableaux se succèdent, depuis l'Adoration des Mages, jusqu'à l'apothéose finale du Christ. Judas, le moins fidèle de ses compagnons, et saint Pierre tiennent une grande place et le thème du salut est glorifié dans le tympan central.

La crypte, qui accueillait autrefois les pèlerins venus prier saint Gilles sur les chemins de Saint-Jacques-de-Compostelle, n'a pas conservé son décor roman, et ses croisées d'ogives, rayonnantes à partir des clefs de voûte sculptées, sont gothiques.

Par un hasard heureux, l'ancien escalier en colimaçon du clocher nord de l'église abbatiale a été épargné. L'escalier à vis de Saint-Gilles présente un volume et une structure si hardis qu'ils constituent un véritable modèle pour des générations de compagnons tailleurs de pierres qui ont, par endroits, gravé leurs emblèmes sur la pierre blonde.

Tout près de l'abbatiale, une maison romane, qui aurait été la maison natale de Guy Foulque, devenu pape en 1215 sous le nom de, Clément IV, est une demeure à façade simple où s'ouvrent deux rangées de fenêtres géminées. Au deuxième étage, une cheminée du XIIIe siècle est surmontée d'une hotte semi-circulaire qui coiffe un foyer en demi-cercle.

Saint-Gilles : la tour de l'escalier à vis

Saint-Gilles : la signature des compagnons

Saint-Gilles-du-Gard, l'abbatiale

1 Christ en majesté

2 Le baiser de Judas

3 Centaure

4 Clef de voûte

À travers la Camargue

La lettre majuscule grecque, delta, avec sa silhouette innocente de petit triangle, utilisée pour désigner l'embouchure de certains fleuves, n'a pas été choisie au hasard. Le Rhône qui s'effiloche et divague dans le coussin moelleux de ses alluvions surabondantes, construit, en effet, sa bouche triangulaire vers la mer. Cernée par les eaux, douces comme celles du Grand Rhône à l'est et du Petit Rhône à l'ouest, ou salées comme celles des vagues courtes et nerveuses du golfe des Saintes-Maries, la Camargue tient plus de l'île que du continent.

Pays du soleil, du vent et des eaux, elle constitue un monde à part. La lutte immémoriale de la terre et de l'eau prend, ici, un caractère si fort qu'elle modifie, sans trêve, un paysage parfaitement immobile ! Le Rhône, avec sa fâcheuse habitude de charrier des millions de tonnes d'alluvions, a laissé, épars, des bourrelets de terre, les *launes* où se nichent, un peu au sec, routes, mas et cultures. L'eau emprisonnée s'y étale en marais couverts de roseaux bruissants. Plus au sud, c'est la Méditerranée qui entre dans la danse et construit des dunettes de sable compacté, ces lidos aux courbes souples, sans cesse modelées par les courants côtiers. Le vent et le soleil y jouent en liberté, frisant l'eau claire en courtes vagues ou asséchant les étangs en *sansouires* craquelées de sel. Mais, ce qui donne à ce paysage toute la fragile beauté et l'innocence des premiers matins du monde, c'est la présence furtive et secrète de ses chevaux blancs, paisibles et aux aguets, frères jumeaux des vieux *equus* du paléolithique, racés, râblés et solides, parfaitement adaptés à un milieu semi-aquatique à l'instar de leurs compères, les taureaux camarguais, encore plus rustiques, groupés en manades, nerveux et farouches, avec leurs belles cornes en lyre et leur robe couleur d'ébène. Même si le barbelé vient cerner de près leurs galops légers, ils resteront toujours les enfants

La Camargue : gardian et manade

du vent. Et, pour offrir un avant-goût de paradis, les flamants dessinent, face au soleil couchant, leurs légers entrechats, sous des frous-frous de plumes roses.

Pays de beauté lumineuse, la Camargue garde aussi ses traditions comme les fragiles trésors des siècles écoulés. Le gardian, ce vacher qui ne veut pas être simple berger, et sa monture, le cheval camarguais, se connaissent si bien qu'ils se fondent en une entité mythologique, mi-homme, mi-cheval, auréolée de gerbes claires. Avec son trident, il guide les manades de jeunes taureaux vers l'aire où va se dérouler la ferrade. Une entaille nette et précise à l'oreille, un fer rouge appliqué sans frémir sur la cuisse de la bête qui fulmine, les gestes sont rapides et précis. De l'immobilisation du taureau entravé de cordes, au coup de rein rageur qui lui rend sa liberté, quelques minutes seulement se sont écoulées. La cabane camarguaise, avec son toit à abside arrondie, couvert de *sagno*, longs roseaux taillés en gerbes régulières, et ses murs blanchis à la chaux, si simple et si modeste, est capable de résister, vaille que vaille, aux plus méchantes colères du mistral.

Mais on travaille aussi en Camargue et, miraculeusement, les paysages induits procèdent toujours du même concept de beauté pure. Les rizières bleu ciel se hérissent de touffes vert tendre et, pendant cinq longs mois, vont fournir à la riche céréale, l'eau pour ses racines et le soleil pour ses graines. Mécanisés à l'extrême, le repiquage et la moisson ne sont plus que des formalités et les grains de riz, translucides et soyeux, peuvent rivaliser avec leurs homologues asiatiques. Les salins, au quadrillage géométrique, étalent leur plan d'eau saturée de sel. L'eau circule lentement sous le soleil et son évaporation continuelle abandonne sur place les épaisses couches de sel blanc. Enfin, pour protéger ce milieu unique et si fragile des souillures et des dégâts irréparables, les hommes ont senti l'impérieux besoin de créer autour de l'étang du Vaccarès, le parc naturel régional de Camargue.

La course à la cocarde

Rapidité et précision sont les garants du succès pour le *razeteur*, quand, dans son costume blanc, il affronte en combat régulier, *lou biou*, le petit taureau noir, lors de la course à la cocarde. Il doit, avec son *razet*, son crochet, arracher la cocarde plantée entre les deux cornes qui le défient et le menacent. Pas de sang, pas de meurtre, un simple jeu où s'exprime toute la vivacité d'une nature généreuse. Lâché dans l'arène, sous les acclamations d'une foule qui vibre d'un même élan, le taureau énervé et furieux, fonce cornes baissées sur cette forme blanche qui le nargue et le rend fou. Le *razeteur* a le choix, soit il esquive la charge et s'envole par-dessus les barrières protectrices, soit il fait face à ce front têtu et peut alors espérer recevoir un jour, à Nîmes, la fameuse cocarde d'or.

Le razeteur

②

1 Un grand duc

2 Une spatule

3 Un aigle circaète Jean-le-Blanc

4 Un héron garde-bœuf

5 Un milan royal

Le parc ornithologique du Pont de Gau

Par la nature même de son milieu marécageux, la Camargue est devenue, à la fois, un refuge pour certaines espèces ornithologiques et une étape pour les grands migrateurs partis des latitudes septentrionales vers la zone chaude. Le centre d'information et d'animation de l'étang de Ginès à Pont de Gau a été fondé dans le but de protéger efficacement la faune et la flore de ce milieu fragile. Avec une documentation abondante et variée, le parc ornithologique présente une approche didactique et pédagogique de ce biotope d'une richesse inouïe. La promenade sur les sentiers balisés du parc ouvert en pleine nature sur une bonne douzaine d'hectares de marais permet d'approcher toutes les espèces protégées. De vastes volières abritent les oiseaux les plus secrets, les plus farouches et donc les plus difficiles à observer. Le maître des lieux est, incontestablement, le flamant rose dont l'origine latine du nom *flamma*, rappelle que, sous le doux manteau rose pâle de ses plumes, se cache, au repli des ailes, la doublure rose corail et rouge feu de l'éclatante livrée de cet échassier au port si élégant. Fidèle à la manade de taureaux qui lui procure le gîte et le couvert, le héron garde-bœuf se délecte des insectes parasites qui pullulent dans les troupeaux. Il est bien difficile à ces pauvres spatules pourtant si timides et discrètes, de passer inaperçues. La nature les a dotées d'un bec étrange mais bien pratique pour aller fureter dans les vases grouillantes des marais. Long et noir, il s'évase soudain en large palette d'un bel orange lumineux. Le circaète, à la fois faucon et aigle, porte aussi le nom d'aigle Jean-le-Blanc. Le grand duc, avec ses aigrettes en forme d'oreille de chat, et le milan royal, aux yeux sévères, font également partie des hôtes de marque du parc du Pont de Gau.

Flamants roses

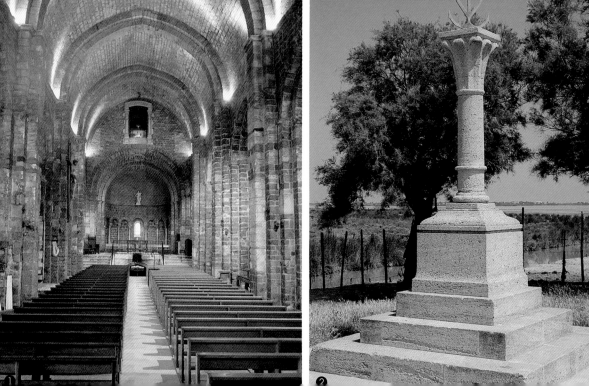

Les Saintes-Maries-de-la-Mer

Ce n'est que depuis un siècle environ que l'association systématique des Saintes-Maries-de-la-Mer et des tziganes, est devenue un automatisme, tant il est vrai que l'élan religieux si profond qui les ramène, le 24 mai, vers Sara, leur sainte patronne, force au respect. Le bourg, une fois le pèlerinage accompli, retrouve son calme tranquille, à quelques pas du Petit Rhône. Une très ancienne chapelle est attestée en ces lieux mais les sources diffèrent sur son origine et la signification de son nom, *Sancta Maria de Ratis*. Sainte-Marie-du-Radeau, en souvenir de la barque des deux saintes Maries, qui se serait échouée sur le rivage, au Ier siècle après J.-C. ou bien Sainte-Marie-de-l'Îlot, ce tertre de terre ferme, cerné par les bancs de sable et les chenaux mouvant au gré des courants ? Le site, en effet, est remarquable et l'église fut érigée, en gardienne et protectrice, sur le front de mer.

Toute dorée et toute simple, c'est une forteresse, avec sa longue nef bardée de contreforts et son abside en donjon circulaire crénelé. Seul le clocher-peigne, hors d'atteinte, est ajouré d'arcades. L'intérieur est très sobre, hormis quelques chapiteaux historiés, frangés d'un fin décor végétal où s'enroulent les lobes ciselés des feuilles d'acanthe. Sous l'abside, la crypte a été aménagée au cours des travaux entrepris par le roi René. La statue de Sara, couverte de bijoux et d'étoffes brillantes, est entourée par les flammes vacillantes des cierges qui l'illuminent. La chapelle Saint-Michel se niche dans la tour qui surplombe l'abside. C'est là que sont conservées les châsses des deux saintes Marie et c'est aussi le décor, choisi par Mistral, pour y faire mourir d'insolation sa fragile *Miréio*.

Le manadier Folco de Baroncelli a rassemblé, avec infiniment de patience et d'amour, dans le musée qui porte désormais son nom, les vestiges de la vie traditionnelle des gardians de Camargue.

Les Saintes-Maries-de-la-Mer : un chapiteau de l'église

Les Saintes-Maries-de-la-Mer : Sara

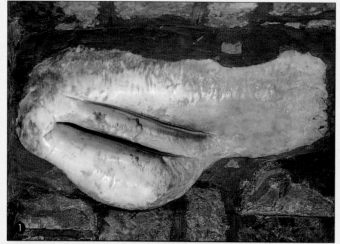

Les Saintes-Maries-de-la-Mer

❶ L'Oreiller des Saintes

❷ Pèlerinage gitan : oriflammes

❸ Pèlerinage gitan : les saintes à la bénédiction de la mer

❹ Pèlerinage gitan : les gardians

❺ Pèlerinage gitan : sainte Sara

Marie, Marie et Sara

Résultat d'une longue tradition légendaire, le pèlerinage dans le bourg des Saintes-Maries-de-la-Mer a des origines un peu obscures. Mais l'utilisation du pluriel sur un prénom évangélique aussi commun que celui de Marie s'explique aisément. Quelques années après la mort du Christ, Marie Jacobé, la sœur de Marie la Vierge, et Marie Salomé, la mère de Jacques et de Jean, ont été abandonnées par les juifs de Jérusalem, sur un frêle esquif, sans gréement et sans provision, avec leurs compagnons d'infortune, Lazare et sa sœur Marthe, Marie Madeleine et Maximin. Sara, la vieille servante égyptienne a tenu à partager leur sort.

Ils confient donc leurs âmes à Dieu et se laissent guider. Ils se retrouvent, épuisés mais vivants, sur une plage, à quelques kilomètres de l'embouchure du Petit Rhône. Les plus jeunes décident alors d'entreprendre l'évangélisation de la Provence et laissent auprès d'un petit oratoire, les deux Maries et Sara, trop vieilles pour continuer la route. Une chapelle édifiée au-dessus de leur tombeau prit au Xe siècle, le nom de Notre-Dame-de-la-Mer. Mais, c'est le roi René, le comte de Provence qui, le 2 décembre 1448, en faisant fouiller la crypte de la chapelle, invente les reliques des saintes. On découvre en effet des vestiges anciens, deux squelettes et un étrange bloc de marbre poli et strié de deux encoches profondes, appelé depuis lors l'Oreiller des Saintes. La chapelle, agrandie et embellie, reçoit un nombre croissant de pèlerins. En mai et en octobre les reliques des Saintes sont emportées, dans un élan de ferveur profonde, vers la mer où elles sont bénies, plongées dans les vagues de la plage. La vénération de Sara, comme sainte patronne des gitans, est bien plus tardive, puisqu'elle n'est vraiment attestée que depuis le siècle dernier.

Les Saintes-Maries-de-la-Mer : la barque des saintes

Arles

Au sommet du triangle formé par les deux bras du Rhône qui se séparent en delta, un îlot rocheux émerge au-dessus de la plaine. Les Phocéens, déjà installés à *Massalia*, ont parcouru les marais au sol mouvant et, sur cette proéminence de terre ferme qui pouvait aussi bien surveiller le large fleuve qui roule à ses pieds que la mer qui scintille au-delà des roseaux, ils ont fondé *Théliné*. Devenue la ville aux marais, *Arelate* – qui donnera plus tard Arles – contrôle un axe de circulation qui, par la vallée du Rhône, lie l'arrière-pays gaulois à *Massalia* et à la Méditerranée. Tout comme sa protectrice et rivale *Massalia*, elle va choisir son camp dans la lutte qui oppose les deux ambitieux Romains, Pompée et César. Opportuniste et prévoyante, elle soutient César contre Pompée, le favori de *Massalia*. Et lorsque *Massalia* tombe aux mains de César, en 49 avant J.-C., *Arelate* devient une colonie militaire où s'installent les vétérans de la VIᵉ Légion. La voilà propulsée au rang de ville romaine. Elle entame alors un gigantesque chantier d'aménagement urbain où rien ne doit manquer. Un **forum** rectangulaire à portiques était installé au-dessus du cryptoportique, sous-sol voûté soutenu par de solides colonnades. Le **théâtre** nous offre toujours ses ruines romantiques où se dressent encore, témoin intemporel d'une splendeur passée, la silhouette délicate et légère de deux colonnes à chapiteaux sculptés. Avec ses trois étages d'arcades sur son mur extérieur, il pouvait accueillir 10 000 spectateurs. Les niches du mur de scène abritaient des statues dont la plus célèbre, la *Vénus d'Arles* découverte en 1651, fut offerte au roi Louis XIV et exposée au Louvre. À l'ouest de la colline de l'Hauture, **l'amphithéâtre** (appelé aujourd'hui les Arènes) fut construit au Iᵉʳ siècle avant J.-C. ; il a certainement servi de modèle à celui de Nîmes qui semble légèrement postérieur. Autour d'une arène oblongue, la *cavea* développe une volée

Arles : la ville et les Arènes

de gradins en ellipse, jusqu'au sommet des deux étages à arcades de ses façades externes et pouvait recevoir 20 000 spectateurs. Un pavement de dalles posées à plat au-dessus des galeries d'accès remplace les voûtes romaines et témoigne de l'influence hellénique qui perdura en Arles pendant toute l'Antiquité.

La **cathédrale Saint-Trophime**, comme tous les édifices religieux imposants, a une origine qui se perd dans d'obscures légendes où se mêlent étroitement imaginaire et réalité. Saint Trophime lui-même est bien mal connu mais fut certainement un des premiers évêques d'Arles. L'église élevée à l'aube du Moyen Âge fut dédiée, dans un premier temps, à saint Étienne et ne devint Saint-Trophime qu'au XIIe siècle, quand elle récupère les reliques du saint et en fait son saint patron. C'est de cette époque que date le portail sculpté de la façade. L'influence romaine reste longtemps une des données caractéristiques de l'art roman provençal. Avec une porte centrale surmontée d'un tympan en berceau et de voussures concentriques, encadré par une loggia à fines colonnes, il garde la forme archaïque des arcs de triomphe romains. Au centre de la composition, le christ en majesté, les deux doigts levés, rend son verdict. Le taureau, le lion, l'aigle et le jeune homme, tous pourvus de longues ailes angéliques, figurent les quatre évangélistes, Luc, Marc, Jean et Matthieu. La scène traditionnelle du Jugement Dernier, obsession finale de tous les chrétiens inquiets pour le salut de leur âme, se déroule sous le regard attentif des apôtres et des patriarches qui, tout auréolés de leur gloire céleste, regardent s'avancer, à leur droite, les bons, les sages et les élus, et laissent s'éloigner vers la bouche hurlante des enfers, enchaînés et contrits, le groupe des damnés. Sagement alignées entre les fines colonnes de la loggia, les figures sévères des grands saints, saint Barthélémy, saint Jacques le Mineur, saint Jean, saint Pierre et bien d'autres, complètent la scène. Livre d'ima-

Le musée Réattu

C'est le peintre arlésien Jacques Réattu qui, après la Révolution française, racheta et restaura l'ancien prieuré des chevaliers de Malte, du XVe siècle, pour y créer un musée. Plusieurs salles sont consacrées à l'œuvre de ce peintre. Mais le musée se veut, avant tout, la vitrine prestigieuse d'artistes, peintres ou sculpteurs, représentatifs de l'art moderne et contemporain. À côté des œuvres de peintres très arlésiens comme Raspal, l'oncle de Réattu, et Rousseau, le peintre de la Camargue, figurent des artistes dont la renommée dépasse largement le cadre provençal, Gauguin mais aussi Vasarely, Dufy, Léger et dans un autre registre Zadkine, César et Toni Grand. Picasso a toujours aimé la ville d'Arles et, alors qu'il est devenu ce vénérable vieillard à l'œil pétillant de malice, il lui offre une collection de cinquante-sept dessins réalisés, en quelques semaines, au début de l'année 1971.

Arles, le musée Réattu : un croquis de Picasso

②

Vincent Van Gogh

1 Les Alyscamps

2 L'Arlésienne

3 Les Arènes à Arles

4 Portrait à l'oreille coupée

Vincent Van Gogh

Le ciel si lumineux qui se courbe en voûte profonde au-dessus d'Arles ne pouvait pas laisser Van Gogh indifférent. Tourmenté et inquiet, il a longtemps voulu aider plus malheureux que lui et son errance désespérée dans les quartiers de misère des grandes villes de l'Europe industrielle le pousse à une exaltation et une abnégation quasi religieuses. La peinture, qui est devenue pour lui élan vers la recherche de cet absolu qui le hante, est sa raison de vivre. Il choisit de descendre vers la Provence, vers une autre lumière qui entre alors à pleins flots dans ses tableaux. La luminosité extrême de ses bleus intenses, ses jaunes d'or, ses noirs absolus donnent à penser que la passion et le désespoir profond qui le minent ont laissé place à l'harmonie, la joie et le repos tranquille. Mais la violence spasmodique des coups de pinceaux dans l'épaisseur de la pâte, qui font crépiter le soleil et éclater de vie les tournesols aux têtes échevelées, ne cachent plus la lancinante tourmente qui l'habite. Il peint sans cesse pendant ce séjour provençal au point qu'il se dit, lui-même, une « locomotive à peindre », et il traite tous les sujets en faisant autant de chefs-d'œuvre : les barques sur la plage des Saintes-Maries-de-la-Mer, le pont de Langlois, l'Arlésienne, les Alyscamps et tous les cyprès, les champs dorés, les tournesols, les oliviers vrillés dans les rafales, les fabuleux iris qui envahissent les fossés du côté de Saint-Rémy-de-Provence et sa petite chambre en Arles avec son décor tout simple, plaqué des teintes les plus contrastées. Mais la folie, sursaut de vie intense qui bascule dans l'incohérent, le pousse, en crescendo, de la mutilation volontaire à l'asile de Saint-Paul-de-Mausole puis à l'acte final, l'autodestruction, dans un dernier éclat de couleur, qui s'éparpille en mille et une touches d'or.

Le cloître de Saint-Paul-de-Mausole, près de Saint-Rémy-de-Provence

ges gravé dans la pierre, on y trouve le réconfort et les menaces, à peine voilées, que tout bon chrétien se devait de considérer avec sérieux. La nef, étroite et haute, voûtée en berceau mène jusqu'au chœur gothique au décor plus exubérant. Elle renferme encore des sarcophages sculptés à l'effigie des saints fondateurs de la doctrine chrétienne, ainsi que des tapisseries d'Aubusson. Mais il faut cheminer sous les arcades fraîches du **cloître** dominé par le clocher carré de Saint-Trophime. Les galeries est et nord, du XIIe siècle, sont riches d'une décoration romane à la fois naïve et symbolique. Sur les piliers d'angle, foisonnant de statues aux longues robes tombant en plis rigides, s'insèrent des bas-reliefs où s'inscrivent les thèmes pathétiques de la lapidation de saint Étienne ou celui des Saintes femmes portant chacune un petit flacon de parfum.

La **place de la République** offre, en raccourci, tous les aspects d'une longue histoire où chaque époque a laissé les vestiges de son art et de ses convictions profondes. Levé en flèche vers

Saint-Trophime : détail d'un sarcophage chrétien

Saint-Trophime, le cloître : saint André

Saint-Trophime, le cloître : lapidation de saint Étienne

le ciel, un obélisque égyptien en granit, décorait autrefois le cirque romain d'Arles. Il fut intégré à une fontaine monumentale en 1675 et dressé sur un piédestal orné de lions de bronze.

L'hôtel de ville a été reconstruit au XVIIe siècle et son vestibule fut orné d'une voûte travaillée en léger relief qui reste un chef-d'œuvre de formes et de volumes emboîtés. La tour de l'horloge, qui s'élève au-dessus des toits, copie la fameuse *tholos* du mausolée de Glanum. Sous les vastes ombrages qui entouraient la via Aurelia, les sarcophages des notables avaient été alignés là, à l'entrée de la ville, selon la tradition romaine antique. Ces **Alyscamp**s, ces *Champs-Élysées*, loin de disparaître avec le développement du christianisme, connurent au contraire une importance grandissante et devinrent une des nécropoles les plus célèbres du monde chrétien. Nostalgique et chargée d'émotion, la longue allée cernée de sarcophages rongés par le temps, mène jusqu'à **l'église Saint-Honorat** et son clocher ajouré.

Arles : l'église Saint-Honorat

Le musée d'Art chrétien

Le musée d'Art chrétien s'est installé dans l'ancienne chapelle des Jésuites. De nombreux sarcophages paléochrétiens du IVe siècle, en marbre fin, déroulent les frises délicates de leurs façades entièrement sculptées, scènes de chasse, scènes du paradis où Adam et Ève font gentiment connaissance, scènes de la vie de Jésus où chaque détail a été minutieusement rendu. Exhumés des deux nécropoles paléochrétiennes d'Arles, Saint-Genest et les Alyscamps, ils démontrent à quel point la religion chrétienne a bénéficié de la conversion des empereurs romains au IVe siècle. Les scènes tirées du Nouveau Testament se veulent un hommage raffiné aux figures des saints. Le Christ lavant les pieds de saint Pierre, Daniel dans la fosse aux lions ou ce sarcophage des époux, à trois registres de sculptures et imago central, témoignent de la ferveur des fidèles.

Le musée d'Art chrétien : sarcophage à imago

Arles, le museon Arlaten

1 Visite à l'accouchée

2 Arlésienne et les arènes
(tableau d'Auguste Dumas)

3 Détail de l'arbre de Jessé

4 Intérieur de la maison de
gardian

5 La tarasque

Le museon Arlaten

Établi dans les murs de l'hôtel de Laval-Castellane, ancien palais urbain du XVIe siècle, le museon Arlaten est l'œuvre de Mistral. Voulu, conçu et installé par le poète provençal qui vient d'offrir son prix Nobel de littérature à cette œuvre d'ethnographie locale, il est le réceptacle de toutes les traditions et de tous les témoignages d'une province à l'âme généreuse. Mistral sent bien que l'identité régionale de la Provence, si vigoureuse soit-elle, risque d'être gommée, voire laminée par une uniformisation quasi irrémédiable du territoire français. Il tient à préserver une langue qui s'étiole, dérisoire apanage des anciens, face à l'impérialisme triomphant d'un français, synonyme de modernité. Il veut perpétuer un costume superbe où éclate la synthèse parfaite d'une grâce naturelle et d'un raffinement méticuleux, un art de la coiffure qui tient plus de la sculpture que de l'insignifiant coup de peigne. Il veut rappeler ce fond de légendes croustillantes et terribles où la vilaine tarasque, rouge et verte, ce monstre assoiffé de sang, devient miraculeusement inoffensive et douce devant la détermination de sainte Marthe. Et, pour cela, il a accumulé les moindres souvenirs de la vie quotidienne, depuis les outils savamment disposés par métier et savoir-faire, jusqu'à ces délicieuses scènes pieuses en verre filé, translucides et fragiles. Il a reconstitué, pour les générations à venir, des intérieurs d'habitations, comme cette chaude cuisine du mas provençal un soir de Noël, ou bien la chambre de l'accouchée où trône le berceau aux dentelles empesées. Et il ne faut pas quitter le musée sans s'être penché, ému et charmé, sur ces petites étiquettes, où Mistral lui-même, avec sa belle écriture de poète, nota patiemment toute la beauté et la richesse profonde du pays de *Miréio*.

Arles, le museon Arlaten : la salle Calendale

L'abbaye de Montmajour

Une île, une dorsale rocheuse émerge au milieu des plaines étendues où frissonnent les tiges souples du riz en herbe. Sur ce roc solide, rare point d'ancrage au cœur des marais miroitants et touffus, les hommes se sont installés, il y a bien longtemps, pour y vivre et y mourir. C'est au Xᵉ siècle que des religieux s'organisent en communauté et fondent l'abbaye de Montmajour. Actifs et besogneux, ils entreprennent l'incroyable chantier d'assèchement des marais. À la pioche, ils creusent, fossés et canaux, pour drainer la vaste plaine qui s'étire jusqu'au Rhône. Les dons fonciers et la fête du Pardon instituée à partir de 1030, vont fournir à l'abbaye les fonds nécessaires pour en faire un des plus grands centres religieux de Provence. Mais sa richesse et sa prospérité ne laissent pas indifférent et, au XIVᵉ siècle, l'abbaye tombe en commende. Elle est octroyée, en bénéfice, à des abbés qui ne s'appliquent

qu'à ponctionner, au mieux, ses énormes revenus. La décadence guette, l'élan spirituel est brisé. Fermée sur ordre de Louis XVI, elle fut vendue comme bien national pendant la Révolution. Dépecée, bradée au plus offrant, elle allait finir en carrière de pierres quand, enfin, les hommes eurent pitié de ses ruines majestueuses. L'église abbatiale Notre-Dame, du XIIᵉ siècle, inachevée, fut bâtie sur une église basse, une crypte, mi-aérienne, mi-troglodytique, aux voûtes en coupole et en berceau d'une grande pureté de ligne. Dans le cloître, les arcs doubleaux qui confortent les voûtes en plein cintre viennent s'épauler sur des consoles où grimacent monstres hideux et figures répugnantes. Construite au XIVᵉ siècle, la tour de l'Abbé est un immense donjon crénelé qui domine la chapelle Saint-Pierre, agrippée à son roc, précieux témoignage des premiers âges de l'abbaye. La chapelle Sainte-Croix, à l'extérieur de l'enceinte abbatiale, veille encore sur les anciennes tombes de la nécropole paléochrétienne.

L'abbaye de Montmajour : la crypte

L'abbaye de Montmajour : la chapelle Saint-Pierre

L'abbaye de Montmajour : têtes d'animaux fantastiques

2

LES ALPILLES

Autour du massif

Le massif des Alpilles, avec son nom en diminutif, n'a pas la prétention d'égaler ses grandes sœurs d'au-delà de la Durance. Et pourtant ses crêtes ciselées, ses ravins où se distille l'ardent parfum du romarin et du thym, ses éboulis de roches claires et le labyrinthe compliqué de ses grottes, en font un univers à part, à la fois âpre et splendide, dans la grande tradition des paysages méditerranéens.

Au IIIe siècle, le vieil **aqueduc romain de Barbegal** alimentait en eau une série de moulins à aubes, groupés en véritable meunerie industrielle. Retenue dans un grand bassin en amont, l'eau se déversait avec force sur les palettes des roues à aubes, échelonnées le long de la pente. Cette multiplication des moulins permettait d'augmenter considérablement la production de farine. Un deuxième aqueduc alimentait, à l'époque romaine, la ville d'Arles située à dix kilomètres de là.

Patrie du poète Charloun Rieu, le village du **Paradou** se niche au creux des oliveraies qui s'étendent au pied des Alpilles.

Eyguières est un village situé en zone de contact entre les Alpilles, d'une part, et la Crau, d'autre part. L'eau y est abondante et chuchote en longs filets dans ses fontaines comme celle de la Coquille.

Dans les collines du Deffends qui dominent le village de Lamanon, les **grottes de Calès** ont été creusées en habitats troglodytiques, par des populations inquiètes qui aménagèrent et occupèrent ces lieux du néolithique jusqu'au Moyen Âge. Les accès furent protégés et les silos, taillés à même le roc, devaient recevoir les réserves de grains, thésaurisées et jalousement surveillées. De ce poste élevé, la vue s'étend au loin, jusqu'à l'étang de Berre.

La petite Provence du Paradou

Au pays des santons, il était bien naturel qu'une grande exposition permanente mette en valeur le travail minutieux des plus illustres maîtres santonniers de Provence. Ici sont rassemblés près de trois cents santons dans un décor lilliputien, à l'échelle 1/6e. C'est un retour à la Provence traditionnelle des XVIIIe et XIXe siècles. Rien n'a été oublié, ni le café ouvert sur la place, ni la partie de pétanque sous les platanes, ni l'église avec son oculus central et sa volée de marches, ni même le marché éclatant des couleurs de ses légumes et de ses fleurs. Huit mille heures de travail passionné pour cette réussite exemplaire !

La petite Provence : la place

La petite Provence : les vendanges

Le **Castellas de Roquemartine**, au sommet de son doigt de roche dressé, devint, au cours du XIVᵉ siècle le repaire honni des brigands à la solde de Raymond de Turenne le terrible seigneur des Baux.

Tout près **d'Eygalières**, la chapelle romane Saint-Sixte, cernée par les jets sombres des cyprès qui se découpent sur un ciel d'un profond indigo, est l'image même de ces paysages élégants et raffinés que le pays provençal se plaît à nous offrir.

Au pied du chaînon, face à la plaine de Tarascon qui court jusqu'au Rhône, la **chapelle Saint-Gabriel** monte la garde à la croisée de chemins plusieurs fois millénaires. De la vieille ville gallo-romaine *d'Ernaginum*, il ne reste plus que des vestiges enfouis dans le sol, alors qu'elle devait concentrer dans ses rues et sur les marécages environnants, toute l'activité et l'abondante richesse d'un commerce florissant. Les premiers chrétiens y ont vécu, nous laissant le témoignage émouvant de leurs modestes tombes, et c'est au XIIᵉ siècle que la cha-

pelle Saint-Gabriel fut érigée en ces lieux, sur l'emplacement d'un édifice antérieur aujourd'hui disparu. Sa simplicité et la modestie de son décor en font un véritable chef-d'œuvre. Des formes géométriques simples découpent en creux sa façade depuis le tympan en berceau jusqu'au fronton triangulaire orné de sculptures naïves aux formes figées des premiers âges de l'ère chrétienne. Et pour couronner le tout, son oculus parfaitement rond, cerclé d'un bourrelet de roche, s'entoure, aux quatre points cardinaux, des représentations symboliques des quatre évangélistes, le lion, le taureau, le jeune homme et l'aigle, pour Marc, Luc, Matthieu et Jean. La nef est très simple, voûtée en berceau et bornée par une abside en cul-de-four. C'est la disparition progressive des marais qui a provoqué le déclin de la cité. Le donjon dressé au sommet de la colline n'a plus joué son rôle de point stratégique fortifié. Et la chapelle reste seule, témoin insolite, à la croisée des chemins devenus depuis longtemps voies rapides.

Les Alpilles : la chapelle Saint-Gabriel

Les Alpilles, la chapelle Saint-Gabriel : détail du tympan

Les Alpilles, la chapelle Saint-Gabriel : détail du tympan

Le moulin de Fontvieille

Avec sa silhouette familière, à la fois trapue et aérienne, les ailes écartelées sur le violet du ciel, le *moulin de Daudet* fait partie de notre enfance. Grimper jusqu'au sommet de la colline, c'est retrouver le goût de ces pages de lecture, à coup sûr ânonnées et trébuchantes, le doigt accroché à la ligne, mais à jamais inscrites dans un coin du cœur. Ce moulin est fiché au centre de la rose des vents et connaît encore la caresse douce ou la violente colère des trente-deux vents de Provence, vent de *damo* ou vent de *souleu*. Sa vieille charpente protège toujours les ingénieux engrenages en chêne et en buis des grandes roues dentelées. Quel destin pour ce modeste moulin provençal bien commun mais choisi comme l'image du refuge idéal d'Alphonse Daudet ! Propulsé au rang de grand monument historique, il garde la bonhomie tranquille et simple de ses Lettres qui ont fait sa gloire.

Alphonse Daudet

Alphonse Daudet est né à Nîmes en 1840. Il fait ses études à Lyon puis monte à Paris. Il ne retrouve la Provence qu'en 1864 au cours de séjours chez des amis, les Ambroy, propriétaires du château de Montauban. Les collines de Fontvieille vont alors lui fournir la matière si vivante et si pittoresque de ses écrits. Mais il faut en convenir, le moulin Saint-Pierre, l'actuel *moulin de Daudet*, ne lui a jamais appartenu. Il vivait et écrivait à Montauban. Ses personnages sont si profondément humains qu'on se laisse parfois surprendre à les croire bien réels. Le *Petit chose*, l'*Arlésienne* et surtout, tous les humbles héros de ses fameuses *Lettres de mon moulin*, depuis maître Cornille jusqu'à Monsieur Seguin, en passant par le révérend père Gaucher, en font un des grands écrivains français du XIXe siècle.

Fontvieille, le moulin de Daudet : détail du mécanisme

Les Baux-de-Provence

Sur une longue et étroite saillie de calcaire, escarpée et déchiquetée à souhait, les hommes ont trouvé refuge et, dès lors, prenant conscience de la force naturelle et inexpugnable de ces lieux, ont su faire régner, pendant plusieurs siècles, leur loi, sur les plaines de Provence. Au Moyen Âge, les seigneurs des Baux, pétris d'orgueil, ont donc établi leur aire sur ce piton rocheux et Mistral a pu ainsi ciseler sa formule, précise et claire comme un sceau : « Race d'aiglons, jamais vassale ». Orgueil, vanité ou arrogance, les seigneurs des Baux ont une si haute opinion de leur valeur qu'ils établissent un vertigineux arbre généalogique dont la souche, loin de se perdre dans l'anonyme nuit des temps, remonterait à Balthazar, cette figure de légende, roi mage guidé par sa bonne étoile. L'étoile, ils la dessinent, brillante et touffue, sur les armoiries de la dynastie et y ajoutent même l'étrange devise, très fa-

taliste et finalement bien peu chrétienne de : « Au hasard Balthazar ! » Dès le XIᵉ siècle, secouant la lourde tutelle de la hiérarchie féodale, les seigneurs des Baux rejettent toute obligation d'allégeance vis-à-vis des comtes de Provence ou de Barcelone. Du rocher des Baux, où ils ont fait élever une solide forteresse, ils imposent leur suzeraineté sur soixante-dix-neuf fiefs, depuis la Durance jusqu'au Var. Mais leur orgueil les a poussés jusqu'au-delà de leurs forces et, au début du XIIIᵉ siècle, ils échouent dans leurs prétentions au titre de comtes de Provence face aux comtes de Catalogne. Cette longue lignée de seigneurs bagarreurs et insoumis a fait de la Provence le théâtre d'affrontements sanglants jusqu'à l'arrivée, à la fin du XIVᵉ siècle, de ce Raymond de Turenne, tuteur de la jeune Alix des Baux, où la terreur et la violence atteignent alors leur paroxysme. Il reçoit même le surnom de *Fléau de la Provence* et s'en réjouit, assouvissant, par ses pillages et ses massacres, sa soif de puissance et de cruauté. Mais, comme l'envers

Les Baux-de-Provence : le Columbarium

de la médaille, Les Baux furent aussi, et c'est là une bien douce gloire, le repaire charmant de ces fastueuses cours d'amour où troubadours et belles dames rivalisent d'esprit pour chanter leur *courtoisie*. Azalaïs, Passerose, Phanette, Doulce ou Clairette ont laissé le souvenir idéalisé d'une grâce infinie, toutes parées de guirlandes de roses et de voiles diaphanes, inspiratrices de cette *fyne amor* si prisée dans les cours méridionales. Érigés en baronnie dans la mouvance des comtes de Provence, Les Baux vont enfin connaître la paix et la gloire prospère sous l'influence de la comtesse Jeanne de Provence. Ce n'est qu'au xve siècle que la citadelle s'intègre dans le royaume de France mais le souvenir vivace de l'insoumission légendaire des seigneurs des Baux fait regarder d'un œil sévère, par la monarchie française, cette cité perchée sur son rocher. Et les prétextes ne lui manqueront pas pour démanteler définitivement la citadelle en 1633. Devenus marquisat, Les Baux sont alors octroyés aux Grimaldi, princes de Monaco. En 1791, la ville deviendra commune de France. Appauvrie, détruite puis désertée, la forteresse des Baux n'est alors plus que ruines et cité morte. Mais les hommes ne devaient pas laisser s'éteindre ainsi le souvenir de cette gloire turbulente et, émus devant ces pierres abattues, où ne régnaient plus que le soleil et le vent, Mistral et Daudet ont su, avec véhémence et talent, en prendre la défense.

Du château en partie troglodytique, il ne reste plus que les ruines altières du donjon. Tout près, la chapelle castrale était intégrée dans l'enceinte même du château ainsi que le colombier rupestre, percé de ses mille alvéoles, privilège et symbole de la puissance des seigneurs. Les deux tours sentinelles, dressées au bord de la falaise, tour Sarrasine et tour Paravelle, s'intégraient dans un système de courtines aujourd'hui disparu. À la pointe de l'éperon, une stèle, dédiée à Charloun Rieu, rend hommage au poète des Baux, auteur de chansons et d'une traduction en provençal de l'Odyssée. Le village des Baux, très restauré, a

Les Baux-de-Provence : le monument de Charloun Rieu

Les Baux-de-Provence

❶ La place Saint-Vincent

❷ Le pavillon de la reine Jeanne

❸ La chapelle des Pénitents-Blancs

❹ Les carrières du val d'Enfer

❺ Le bas-relief des Trémaïé

retrouvé l'allure cossue de ses quartiers Renaissance avec les hôtels de Manville ou de Jean de Brion. Dans l'église Saint-Vincent du XIIᵉ siècle, flanquée d'un campanile, est célébrée, à Noël, la fête du *pastrage*, fête des bergers venus offrir l'agneau nouveau-né. La chapelle des Pénitents-Blancs s'orne de peintures naïves exécutées par Yves Brayer.

Une seule issue, la porte d'Eyguières – la porte de l'Eau – ouvrait ce monde clos vers les vallons voisins, doux et tranquilles comme celui de la Fontaine avec son pavillon de la reine Jeanne, cet adorable kiosque de jardin de style Renaissance, que fit construire, en 1581, Jeanne de Quiqueran, femme du seigneur des Baux, ou tourmenté et sauvage comme le val d'Enfer où s'ouvrent les structures minérales, déchiquetées et chaotiques des carrières souterraines de molasse qui servirent de décor au film de Jean Cocteau, *Orphée*.

Près du col de la Vayède ont été érigées les stèles gallo-romaines, en bas-relief, des Trémaïé et des Gaïè.

L'Hôtel de Manville

Lou Santoun, le petit saint

Quelques grammes d'argile séchée dans un moule en plâtre, une palette de couleurs vives et une belle imagination, il n'en faut pas plus à J.-L. Lagnel, à la fin du XVIIIᵉ siècle, pour créer les figures populaires de ses *santouns*, ses petits saints, les santons…
Autour de l'enfant Jésus, tout rose, gigotant dans son lit de paille, toute la Provence s'approche, offrant, d'un geste simple, le spectacle de sa ferveur et de sa bonhomie. Le *pastre*, le berger, le *tambourinaïre*, le joueur de tambourin, le meunier et son sac de farine, l'*amoulaïre*, le rémouleur, la poissonnière les mains sur les hanches, le *boufarèu*, l'ange aux grosses joues qui *buffe* dans sa trompette et *lou ravi*, le simplet, la tête dans les nuages, tous sont là, surpris et immobiles, sur les petits sentiers qui mènent à la crèche.

Le musée des santons : une Provençale

Glanum

C'est au débouché de la voie ancestrale qui se faufile à travers le chaînon des Alpilles, que des Ligures ont choisi de s'installer, certainement plus de 1 000 ans avant J.-C., bénéficiant ainsi des avantages substantiels que procuraient, à la fois, le contrôle du défilé et l'opulente richesse de la plaine qui s'étend vers le nord. Le site de Glanum fut choisi avec soin et son occupation perdura jusqu'à l'arrivée, inopportune mais inévitable, des Barbares qui en font fuir les habitants dès la deuxième moitié du IIIe siècle après J.-C.

Regroupés autour de l'église Saint-Rémy, ils fondent une ville prospère et active tandis que s'endorment définitivement les ruines de Glanum. La garance, pour son éclatant pouvoir colorant incarnat, et le chardon, pour ses propriétés de grattage des étoffes aux reflets de velours, ont fait alors la fortune de Saint-Rémy-de-Provence. Désormais, horticulture et tourisme culturel les ont remplacés.

Un vaste champ de ruines et les deux magnifiques monuments bien conservés des Antiques, un arc et un mausolée, voilà ce que nous ont laissé les Barbares après leur passage à Glanum. La ville ancienne, dominée par les escarpements calcaires du mont Gaussier, s'est nichée au creux des vastes cônes d'éboulis accumulés au pied des pentes des Alpilles. Sa position exceptionnelle sur un substrat de roches tendres fait de Glanum la ville de la *pierre* avec ses antiques carrières d'où furent extraits tous les éléments d'une architecture raffinée et millénaire. L'extraction et la taille des lourds blocs y ont été des activités très répandues et la trace des outils sur les pierres équarries nous renseigne sur les techniques employées.

Enfin, l'eau qui jaillit des sources, adorée comme divinité tutélaire et thaumaturge – celle qui guérit – donne toute son importance à ce site occupé, sans interruption, du premier millénaire avant J.-C. à l'époque hellénique, et de la civilisation de l'empire d'Auguste jusqu'au cataclysme des premières invasions barbares.

Autour du sanctuaire établi près de la source et consacré aux divinités locales des Mères et de Glan, une petite bourgade se développe, sous l'influence lointaine de Phocée, notre Marseille grecque. De cette lointaine période, beaucoup d'éléments architecturaux ont disparu ou ont été utilisés en remploi dans les édifices plus tardifs.

Puis le paysage urbain se dilate et les monuments entourent l'agora, chapelles jumelles où trônent deux héros assis en tailleur, salle de l'assemblée municipale appelée *bouleutêrion* ou sanctuaire monumental entouré de gradins, doté d'un puits profond et d'un couloir, *dromos*, couvert de dalles. Les maisons se multiplient et embellissent comme cette demeure carrée, bâtie autour d'une cour à portique, et qui porte le nom de maison des Antes, du nom de son élégante entrée à pilastres.

Mais après l'arrivée des Romains, brutale et destructrice, il faut attendre l'accession au statut d'*oppidum latinum* vers 45 avant J.-C. pour que Glanum retrouve la splendeur des époques précédentes. Une série de maisons modestes mais déjà décorées va laisser la place aux monuments d'une ville romaine, le forum et sa basilique, mais aussi les thermes au plan classique centré sur la palestre, avec leur salle froide, *frigidarium*, leur salle tiède, *tepidarium* et leur salle chaude, *caldarium*, chauffée par hypocauste.

Une porte fortifiée de l'époque hellénique, avec entrée en chicane et porte charretière, s'ouvre sur les remparts qui protègent les plus anciens sanctuaires de Glanum. Près du nymphée, abritant la source curative de la cité, le temple dédié à *Valetudo*, la déesse de la santé, a conservé, debout, une série de colonnes cannelées et une piscine toujours alimentée en eau. L'ancien égout pavé, appelé canal couvert, traverse Glanum et fut la principale artère de la ville.

Au-delà du champ des ruines, le mausolée, certainement pas tombeau mais monument funéraire, fut consacré à la mémoire d'une riche famille locale romanisée, les *Julii*. Les bas-reliefs qui ornent ses quatre faces présentent des scènes de guerre et, sous la tholos, deux statues en toge attestent de l'accession des membres de cette famille au statut de citoyen romain.

L'arc de Glanum, au contraire, n'exalte pas l'assimilation des populations indigènes mais marque, par sa décoration très explicite de captifs gaulois enchaînés à des trophées, les limites même de la romanisation. Son arcade voûtée en berceau est décorée de guirlandes de fruits et de feuilles et de caissons hexagonaux d'une grande finesse.

L'hôtel de Sade, à **Saint-Rémy-de-Provence**, abrite le dépôt lapidaire du centre archéologique. Il recèle les multiples vestiges exhumés par Henri Rolland au cours des différents chantiers de fouilles entrepris sur le site de Glanum.

Glanum, les Antiques, l'arc : groupe de captifs

Saint-Rémy-de-Provence, l'hôtel de Sade : bas-relief

Saint-Rémy-de-Provence, l'hôtel de Sade : le prisonnier

Saint-Rémy-de-Provence, l'hôtel de Sade : Octavie

❶

❷

3

LA MONTAGNETTE

Tarascon et Beaucaire

Au contact entre les terres provençales qui s'étendent à l'est du Rhône et le royaume de France qui s'est dilaté jusqu'à la berge opposée où trône le château de Beaucaire, sa forteresse jumelle et rivale, son double et son ennemie, le château de **Tarascon**, accroché à son roc, battu par les flots rageurs du fleuve, fut la résidence principale et préférée de ces seigneurs de haut lignage, plus princes que vassaux, les comtes de Provence. Des comtes de Provence, il en est de célèbres ! Louis II d'Anjou fait restaurer en 1401, un ancien ouvrage militaire déjà édifié au XIᵉ siècle. Dès lors, par une volonté familiale jamais défaillante, les comtes vont, successivement, marquer l'architecture et la décoration intérieure de la forteresse de leurs empreintes. C'est le fils de Louis II, le célèbre roi René qui parachève l'œuvre de ses ancêtres et fait décorer, avec un goût très sûr, l'intérieur de la citadelle qui prend alors des allures de palais Renaissance. Du château médiéval, l'édifice a gardé un donjon d'entrée monumental, austère et inaccessible. Mais l'arrivée dans la cour d'honneur est un véritable délice. Une loggia s'ouvre sur la cour d'où s'élance un escalier à vis, aérien et fragile. La dentelle compliquée du porche d'accès à la chapelle basse en fait un chef-d'œuvre de style gothique flamboyant et une balustrade de pierre cerne l'ouverture surbaissée de la chapelle des chantres. Les salles intérieures, décorées de peintures anciennes, sont voûtées d'ogives comme la grande salle du Conseil. L'accès final à la terrasse ouvre un horizon sans fin sur la vallée rhodanienne. La collégiale Sainte-Marthe a été très restaurée mais son portail sud garde toutefois, une véritable facture romane, même si les sculp-

tures de son tympan ont été rageusement martelées en 1793. Sainte Marthe est la patronne de Tarascon. La sainte, armée seulement de sa foi inébranlable a osé affronter, seule, le monstre dévorant, la bête hideuse et sanguinaire avec sa tête congestionnée et ricanante, sa croupe verdâtre hérissée de piquants couleur de sang, la Tarasque, qui surgit du Rhône pour tuer bêtes et gens. Subjuguée par un simple signe de croix, elle se transforme alors en pantin ondoyant et docile que l'on promène en procession pour exorciser les peurs de la nuit. Mais Tarascon c'est aussi le pays de ce pauvre Tartarin, magistralement mis en scène par Daudet qui croque le portrait d'un type humain un peu fat, un peu ridicule, bavard, prétentieux, tendre et généreux mais si réaliste que l'on croit toujours s'y reconnaître un peu.

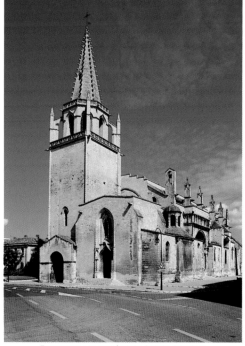

Tarascon : la collégiale Sainte-Marthe

La mode très exotique des indiennes, ces toiles peintes importées des Indes, fait fureur en France, au XVIIᵉ siècle. Perpétuant cette tradition, l'entreprise Souleïado, fondée en 1938, par Charles Deméry, exporte, dans le monde entier, les tissus aux couleurs de la Provence. Au milieu d'un parc aux allées qui serpentent sur la colline, le château de **Beaucaire**, où du moins ce que Richelieu, qui voulait rabaisser l'orgueil des Grands, a bien voulu épargner de la destruction et du démantèlement, se dresse au bord de la terrasse qui domine le Rhône. Une tour triangulaire, aux arêtes vives, et sa compagne, une grosse tour ronde et débonnaire, ont traversé les épreuves et composent, avec les courtines qui courent de l'une à l'autre, les vestiges prestigieux de cette ancienne place forte royale, érigée en sentinelle sur la précieuse voie de circulation qu'était devenu le Rhône. Un regard méfiant sur Tarascon et sa citadelle de géant, un regard protecteur sur les grandes foires de Beaucaire qui explosaient de bruits, de couleurs, de richesses chaque année en juillet, voilà scellé le destin de la forteresse. Mais le grand négoce s'étiole et Beaucaire n'a plus su s'offrir ces semaines de folies où une bonne part de la richesse du monde venait transiter là, sur les berges du fleuve. L'église Notre-Dame-des-Pommiers a été très restaurée au XVIIIᵉ siècle mais conserve, sur son mur, une longue frise sculptée. Comme une fine broderie, elle déroule les épisodes marquants de la vie du Christ et, en particulier, la Cène où la table dressée laisse pendre les draperies délicates de la nappe devant les convives réunis. Un oratoire appelé la Croix-Couverte a été construit, au cours du XVᵉ siècle, à l'extérieur de la ville.

L'ancienne **abbaye de Saint-Roman-de-l'Aiguille** est abandonnée depuis le XVIᵉ siècle, mais l'on peut encore y voir un siège abbatial du XIIᵉ siècle et les alignements émouvants de tombes rupestres. Tout près, à **Jonquières**, la chapelle romane Saint-Vincent, qui dépendait de Saint-Roman, présente une beau chevet semi-circulaire.

Une impression de soleil…

Dès le XVIIᵉ siècle, nous parviennent, depuis les Indes lointaines dans les balles rebondies qui se balancent sur les bâts des chameaux en caravane, les cotonnades imprimées à la planche. Marseille commerce avec les terres du Levant par où transitent ces indiennes aux couleurs délicates et si exotiques. Du négoce lucratif mais aléatoire, Marseille et la Provence en viennent à l'indiennage, à la fabrication locale d'étoffes imprimées. C'est alors que, poussés par les maîtres drapiers inquiets de la concurrence jugée trop déloyale des indiennes, Colbert et surtout Louvois portent un coup d'arrêt à leur fabrication en France. Prohibition rime souvent avec contrebande et les cotonnades provençales n'ont rien perdu de leurs attraits. Mais les ateliers qui fabriquent les percales aux motifs en semis répétitifs, ne peuvent à leur tour affronter la compétition ouverte avec les grandes manufactures textiles du XIXᵉ siècle. Il faut attendre 1938 pour que Charles Deméry relève le défi et rende aux indiennes toute leur beauté. À Tarascon le musée qui porte son nom retrace la fascinante histoire de cette tradition ancestrale où chante toujours le soleil de Provence.

Musée Charles Deméry : teintures et tissus

Beaucaire et sa région

1 Notre-Dame-des-Pommiers :
la frise

2 L'abbaye Saint-Roman-de-
l'Aiguille : tombes rupestres

3 La Croix-Couverte

4 L'abbaye Saint-Roman-de-
l'Aiguille : siège abbatial

5 Jonquières : la chapelle Saint-
Laurent

Saint-Michel-de-Frigolet

La première mention officielle et vérifiée de l'existence de l'abbaye de Saint-Michel-de-Frigolet remonte à 1133, date à laquelle les vi-comtes de Boulbon font donation à l'église de Saint-Michel d'une cinquantaine d'hectares de terres. Un groupe de prémontrés, ces cha-noines réguliers, y observent alors la sévère règle de saint Augustin.

Du prieuré médiéval, il ne subsiste que le cloî-tre, solide et massif, aux arcatures surbaissées, reposant sur de lourds piliers où seules ont été conservées des baies ouvertes en berceau.

L'église Saint-Michel toute en longueur, ravit par sa simplicité extérieure. Sur la toiture à deux pans réguliers, une frise ajourée court jusqu'au minuscule clocher. Des salles, amé-nagées au XVIIe siècle, s'ouvrent sur le côté sud du cloître : la salle capitulaire où se réunis-saient les moines et le salon provençal où trône un alambic, référence obligée au révé-rend père Gaucher, cette figure de légende et de littérature.

La chapelle Notre-Dame-du-Bon-Remède, érigée au XIe siècle, est un lieu de pèlerinage attesté avant même la création de l'abbaye de Frigolet. Remaniée puis fondue dans la masse de la basilique abbatiale, construite au XIXe siècle, la chapelle est ornée d'un retable baro-que du XVIIe siècle, composé de boiseries do-rées à l'or fin encadrant douze toiles de l'école de Mignard. Sur le devant de l'autel, en cuir repoussé, le portrait de la Vierge aux pom-mettes fraîches et roses, la tête enveloppée dans un voile sombre et le regard pudiquement baissé, est entouré par une floraison de motifs végétaux en arabesques. Cernée par deux co-lonnes torses, une statue en pierre, sortie vrai-semblablement de l'atelier avignonnais des Péru, au XVIIe ou au XVIIIe siècle, représente la Vierge Marie, drapée dans une étoffe lourde et somptueuse, qui tient dans ses bras l'Enfant Jésus. Une coquille Saint-Jacques auréole leurs visages pensifs et recueillis.

L'élixir du révérend père Gaucher

« Le curé de Graveson me versa deux doigts d'une liqueur verte, dorée, chaude, étincelante, exquise... J'en eus l'estomac tout ensoleillé ». Alphonse Daudet vient de découvrir l'élixir du père Gaucher. Fabriquée au couvent des prémontrés de Saint-Michel-de-Frigolet, cette liqueur à la robe perlée d'or et aux reflets d'émeraude n'est pas un simple digestif mais entre dans la catégorie, bien mystérieuse et très prisée, des élixirs, ces breuvages divins. Cinq ou six espèces de simples cueillies dans les Alpilles, un gros alambic où bouillonnent et s'emprisonnent les senteurs les plus enivrantes de la Provence, un doigté et un savoir-faire qui oscillent sans cesse entre la bonne vieille recette de grand-mère et l'alchimie étrange d'un secret quelque peu diabolique, voilà tous les ingrédients réunis pour que coulent, dans nos verres, ces quelques gouttes mordorées. Et Daudet nous raconte, avec un soupçon de jubilation irrévérencieuse, l'histoire de ce pauvre frère lai, frère Gaucher, un peu obtus, un peu simplet, mais qui a gardé le souvenir de sa vieille tante Bégon, avec qui, tout enfant, il courait la garrigue. Il l'a vu chauffer, distiller, brasser dans ses chaudrons de cuivre, cette liqueur qui le damne. En effet, les frères prémontrés ont tout de suite compris tout le bien qu'ils pouvaient tirer de ce terrible secret. Frère Gaucher devient le « révérend père Gaucher » et fabrique, jusqu'à s'enivrer, la douce liqueur. Mais, horrible dilemme, que risquer ? La damnation éternelle dans les vapeurs dorées de l'élixir ou la ruine définitive de l'abbaye ? Casuiste jusqu'au fond de l'âme, Monsieur le Prieur aurait ordonné : « Frère, distillez et nous vous offrons, par nos prières, l'absolution pendant le péché ».

4

LES GARRIGUES

Nîmes

Avec un nom aussi sujet à controverse que *colonia Augusta Nemausus*, Nîmes, la capitale des Volques arécomiques, se permet d'offrir plusieurs pistes d'investigations concernant ses origines urbaines. La première hypothèse, la moins contestée, fait remonter les débuts de la cité à la fréquentation de la fontaine de *Nemausus*, adorée comme divinité locale et tutélaire de la ville, à qui elle donne son nom, et qui devint, au cours du XVIIIᵉ siècle la perspective du **jardin de la Fontaine**. La deuxième hypothèse, mettant en exergue le mot *Augusta*, tend à prouver qu'un lien privilégié aurait existé entre la cité nîmoise et le premier, sinon le plus célèbre,

des empereurs romains, Octave-Auguste. Pour conforter cette affirmation, il est bon de noter que de nombreux édifices de Nîmes ont été érigés à l'époque augustéenne. La muraille, percée de portes monumentales, qui entoure la ville et, par là même, en délimite avec précision le cadre et la forme, a été offerte par Auguste à la communauté urbaine, avec sa **porte d'Auguste** qui s'ouvrait sur la voie romaine conduisant à Arles et surtout sa colossale **tour Magne** plantée sur la butte qui domine la ville. Mais, affirmer, alors, que la création de la colonie est contemporaine de l'érection des murailles qui la cernent paraît bien trop péremptoire et les preuves tangibles manquent cruellement. D'autant plus que, l'émission de monnaies nîmoises, portant au revers la mention *Col Nem* (*Colonia Nemausus*)

Nîmes : la statue d'Auguste

Nîmes : la tour Magne

est bien antérieure au règne d'Auguste. On retrouve, en effet, dans plusieurs *oppida* du Languedoc, comme à **Nages** par exemple, ces monnaies dispersées dans des couches archéologiques profondes, datées de l'époque préaugustéenne. Nîmes est donc une *colonia* avant même l'avènement d'Auguste ! La troisième hypothèse est fondée sur l'origine orientale, grecque et égyptienne, de la ville de Nîmes. Pour corroborer cette assertion, un faisceau d'indices a été réuni. L'influence hellénique est très sensible dans l'architecture des monuments nîmois, comme ce mystérieux **temple de Diane**, dans les inscriptions qui les recouvrent ou dans les cultes orientaux qui s'y déroulent. Mais surtout l'argument clef semblait être la décoration si extraordinaire de ces **as de bronze**, ces pièces de monnaie retrouvées en abondance sur le site de Nîmes. Sur l'avers, le profil d'Auguste, toujours lui, et celui d'Agrippa ; sur le revers, un crocodile aux écailles apparentes, la gueule ouverte et le cou serré dans un lourd collier qui le lie par une grosse chaîne à une palme ondoyante. L'interprétation classique de ces symboles semblait claire : d'un côté Auguste, le fondateur, de l'autre un thème très exotique, signifiant qu'un groupe de colons, légionnaires en Égypte, seraient à l'origine du peuplement de la ville. Mais, il semble plus probable que les pièces fabriquées à grande échelle et circulant sur l'ensemble de l'Empire, commémorent la victoire d'Actium où Auguste et Agrippa réussirent l'exploit de vaincre Cléopâtre, en Égypte. Objet de propagande, les monnaies à l'effigie de l'empereur devaient, par une symbolique évidente, rappeler la victoire de Rome sur le crocodile égyptien. Enfin, une dernière ambiguïté réside dans le titre même de *colonia*. Nîmes est-elle une colonie romaine ? C'est le titre le plus favorable, le plus envié par toutes les villes de l'Empire. Ou bien porte-t-elle simplement celui de colonie latine ? Difficile de trancher, mais il semble, que l'originalité de l'organisation municipale soit telle qu'elle corresponde plus au statut d'une colonie latine

L'oppidum de Nages

Au cœur de l'odorant fouillis d'une végétation de garrigue, l'oppidum de Nages, pour peu que l'on prenne la peine de gravir le sentier escarpé qui court sur la colline des Castels, offre la densité de vestiges d'un site archéologique hors du commun. Daté du premier millénaire avant J.-C., l'oppidum de Nages est l'exemple de cette concentration d'habitats sur des barres rocheuses relativement inaccessibles, encore fortifiées par de lourds remparts de pierres régulières. Les tours massives qui le confortent, même en partie détruites, sont si colossales et farouches qu'elles nous racontent, sans détail précis mais avec une acuité remarquable, une histoire ponctuée de grandes peurs, de veilles et de combats de géants. Tout redevient plus humain, lorsque le sentier prend la pente et longe une succession d'habitations disposées en îlots géométriques, séparés par des rues parallèles. La conception d'un plan d'ensemble est réfléchie mais le confort de ces maisons, à pièce unique et à foyer central, devait être très précaire. Agriculteurs-éleveurs ces hommes ont été aussi tisserands et potiers, combattants et artistes, le musée archéologique de Nages en témoigne.

L'oppidum de Nages

qu'à celui d'une colonie romaine où tout est codifié, établi selon le modèle très rigide de la ville-mère, Rome. De plus Nîmes est dirigée par des *quattuorviri* et non des *duoviri*, ce qui tendrait à prouver qu'elle se range dans la catégorie des colonies latines. Peu nous importe, en fait, car la ville de Nîmes connaît alors un développement exemplaire. Elle se dilate sur plus de deux cents hectares et se pare de tous les monuments d'une ville gallo-romaine de première importance. Au IIe siècle après J.-C., elle atteint son apogée avec une population qui dépasse les 20 000 habitants et devient la capitale d'une contrée aux ressources variées.

La richesse architecturale de Nîmes témoigne encore de son importance antique. Le plus célèbre et aussi le mieux conservé de tous ses monuments est la **Maison Carrée**. Cet édifice nous est parvenu pratiquement dans son intégralité et dans la pureté de sa forme originelle, sans adjonctions, ni destructions postérieures. C'est un temple, construit à la fin du Ier siècle avant J.-C., sous l'empereur Au-

guste, par un *architectus* certainement originaire de la Gaule Narbonnaise mais fortement influencé par les modèles de Rome. Consacré au culte impérial des deux petits-fils d'Auguste, le temple présente le plan simple des édifices religieux romains : une volée de quinze marches régulières donne accès au *podium*, cerné d'une colonnade à chapiteaux corinthiens et à la *cella*, la pièce consacrée à la divinité. Couronné d'une frise à rinceaux et d'une corniche à modillons, le temple atteint un degré de perfection, d'élégance et d'harmonie rarement égalé.

L'amphithéâtre de Nîmes, appelé couramment, les Arènes, a été construit à la fin du Ier siècle ou au début du IIe siècle. De taille assez modeste, pour un édifice de ce genre, il pouvait, cependant, accueillir plus de 23 000 spectateurs. Autour de son arène elliptique, la *cavea* a été bâtie en gradins réguliers soutenus par une enceinte extérieure construite sur deux niveaux d'arcades. La facilité d'accès et d'évacuation des spectateurs a été un

Nîmes, les Arènes : une galerie intérieure

des soucis majeurs des architectes de l'amphithéâtre. La *cavea* fut divisée en trois *mæniana* comprenant dix gradins chacun et séparés par des couloirs de circulation reliés par des vomitoires aux quatre portes monumentales. La division de la société romaine est si hiérarchisée que l'accès et l'utilisation des gradins, très codifiés selon le rang et l'importance des personnes, devaient se faire sans conflits ni bousculades, ni même promiscuité gênante. Les combats de gladiateurs qui s'y déroulaient, violents et sanglants, mettaient en effervescence le peuple venu applaudir ou huer ses héros d'un jour.

L'eau de source acheminée par aqueduc depuis Uzès, via le Pont du Gard, était distribuée dans tous les quartiers de la ville par un ingénieux système de vannes et de canaux, le *castellum divisiorum*, cet antique bassin de répartition des eaux.

Avec les premières invasions barbares, Nîmes reçoit, de plein fouet, la visite parfois brutale de ces peuples vigoureux et combatifs. Les Wisigoths, peu enclins à embrasser la religion catholique qui reconnaît dans le Christ un être surnaturel, imposent avec force, leur propre croyance, l'arianisme.

La cathédrale **Notre-Dame-et-Saint-Castor** du XIᵉ siècle s'orne encore d'une très ancienne frise romane où une multitude de personnages s'agitent en banderole de pierre et font revivre à l'infini la prodigieuse histoire de la Bible. Aux alentours, le Vieux Nîmes a gardé ses maisons Renaissance à fenêtres à meneaux de la rue de Bernis ou à façade sculptée en frise de la rue de la Madeleine. Au numéro 8 de la rue de l'Aspic, trois sarcophages paléochrétiens ont été enchâssés dans le mur du porche d'entrée.

Le **Musée archéologique** installé dans l'ancien collège jésuite présente des œuvres protohistoriques, gallo-grecques et gallo-romaines où la verrerie, la céramique, les collections numismatiques, les bronzes, les parures et les armes tiennent une place de choix.

Nîmes : le castellum

Nîmes

❶ La frise de la cathédrale Notre-Dame-et-Saint-Castor

❷ Sarcophage paléochrétien, rue de l'Aspic

❸ Musée archéologique : Apollon

❹ Musée archéologique : mosaïque

Le Pont du Gard

L'extension de l'Empire romain dans le milieu méditerranéen, avec son corollaire, la répétition quasi annuelle de la sécheresse d'été, a posé, très vite et de façon cruciale le problème de l'eau, encore accentué par le développement urbain qui rend nécessaire et obligatoire un système d'adduction d'eau convergeant vers ces points de consommation intense. L'alimentation en eau de la ville de Nîmes, distante d'une trentaine de kilomètres, se faisait à partir de la source d'Eure près d'Uzès. Le canal d'amenée, bâti en maçonnerie, devait garder une pente constante et régulière. Tous les obstacles devaient être vaincus, les montagnes par des tunnels, les vallées par des aqueducs. Ainsi, en un bond prodigieux de plus de deux cent soixante-quinze mètres, le Pont du Gard fait franchir la vallée du Gardon au canal qui court sur ses plus hautes arches. Colossal et aérien, solide et ajouré, il fut bâti en gros blocs ajustés à sec, répartis en trois rangées d'arches superposées. De lourdes piles bien ancrées dans le lit de la rivière soutiennent l'ensemble. Il faut imaginer les gros treuils aux roues actionnées par le galop agile et désespérément statique de ces hommes enfermés pour de longues heures dans les lourds tambours de bois qu'ils s'évertuaient à faire tourner. Les calculs compliqués de volume, poids et masse de ces énormes blocs hissés à plus de cinquante mètres de hauteur, témoignent de la maîtrise exceptionnelle de l'art de bâtir qu'avait acquise ce peuple architecte.

Les pierres saillantes le long des piliers supportaient les échafaudages et les voûtes étaient posées sur des arcs de bois disposés entre deux piles, sur un lit de sacs de sable bien tassé. Quand l'arche était achevée, on vidait les sacs de leur sable et l'échafaudage se séparait facilement de la voûte. Le confort des citadins, habitués à utiliser l'eau courante des fontaines et des thermes, induisait la construction d'infrastructures d'une telle qualité.

Le Pont du Gard : le passage des eaux

Uzès

L'Alzon taille, dans le calcaire des Garrigues, une vallée où, par endroit, se dressent des falaises au front clair. La ville d'Uzès a choisi un de ces sites escarpés et domine la rivière. Ville fortifiée au Moyen Âge, elle fut ceinturée de remparts. Mais, quelques siècles plus tard, la fabrication de solides étoffes dans des ateliers drapiers de plus en plus nombreux, donne à la ville un élan et une richesse tels qu'elle se sent trop à l'étroit dans son corset de murailles. La ville s'étend alors hors les murs et, surtout, se pare de beaux édifices.

L'ancienneté de la maison des seigneurs d'Uzès dont l'arbre généalogique remonterait jusqu'à l'empereur Charlemagne, en fait une des plus illustres familles de la haute noblesse provençale. Sans histoire, calme et tranquille, la ville prospère et s'enrichit, mais la Réforme va bouleverser les esprits et déclenche, dans chaque camp qui rivalise d'ardeur, une effervescence intellectuelle et son corollaire obligatoire, une violence fanatique et aveugle. Et, depuis lors, le fossé profond qui s'est creusé entre les deux communautés, protestante et catholique, n'a jamais été réellement comblé. C'est pourtant à la même époque, en 1565, que les seigneurs du lieu reçoivent des rois de France le titre très envié de ducs d'Uzès.

Le château féodal des ducs d'Uzès, appelé à juste titre le **Duché**, est un ensemble un peu disparate, composé d'éléments architecturaux, emboîtés, accumulés tout au long de l'histoire séculaire de la lignée d'Uzès. Carrée et massive, la **tour Bermonde** est un gros donjon du XIᵉ siècle mais son escalier d'accès à caissons et pierres taillées en pointe de diamant annonce déjà la Renaissance. La **tour de la Vicomté**, plus tardive a été construite au cours du XIVᵉ siècle. Le bâtiment central s'orne d'une façade dessinée par l'un des plus grands architectes de la Renaissance française, Philibert Delorme. Très influencé par la décoration gréco-latine, il a aligné, sur trois rangs superposés, les trois ordres classiques de la sculpture antique, l'ordre dorique le plus ancien, l'ordre ionique aux spirales régulières et l'ordre corinthien tout en foisonnement végétal. Le mobilier et la décoration intérieure ont conservé toute leur antique splendeur mais la chapelle gothique a été très restaurée au XIXᵉ siècle.

La **cathédrale Saint-Théodorit** ne date que du XVIIᵉ siècle. Elle fut bâtie sur les ruines de l'ancienne cathédrale détruite au cours des guerres de Religion. Son orgue, du XVIIᵉ siècle, est magnifique et présente toujours les volets articulés qui devaient occulter cet instrument de plaisir pendant la triste période du carême.

De l'église romane du XIIᵉ siècle, il ne subsiste que le long fuseau, en dentelle de pierre, de la **tour Fenestrelle**. Érigée sur un soubassement carré, elle s'élève, ronde et légère sur six étages emboîtés en retrait, jusqu'à son minuscule toit conique. Les ouvertures, toutes en baies géminées, donnent une grande unité à l'ensemble et le décor différent à chaque étage, en fait un édifice roman de toute beauté.

Uzès : la tour Fenestrelle

Près de l'église Saint-Étienne, l'énorme **tour de l'Évêque** dite aussi tour de l'Horloge du XIIIᵉ siècle, chapeautée d'une tourelle ronde, monte toujours la garde.

Les maisons du quartier ont gardé leurs portes ciselées en faisceaux convergents et pointes de diamant, comme la **porte Louis XIII** dans la rue Saint-Étienne. Cette rue débouche sur la **place aux Herbes** entourée de couverts en arceaux, parfaitement restaurés.

Tout en colonnade, **l'hôtel du baron de Castille**, du XVIIIᵉ siècle, présente toujours sa façade régulière et classique.

À quelques kilomètres d'Uzès, le **château du baron de Castille**, fut restauré lui aussi au cours du XVIIIᵉ siècle et se pare d'un décor analogue où la longue perspective d'une allée bordée d'ifs s'ouvre sur l'alignement des colonnes disposées en arc de cercle et surmontées de balustrades ajourées.

Tout près d'Uzès, la **source d'Eure** a longtemps alimenté en eau la ville de Nîmes grâce à l'aqueduc que supporte le Pont du Gard.

Uzès : la tour de l'Évêque de l'église Saint-Étienne

Uzès : la porte Louis XIII, rue Saint-Étienne

Uzès : la source d'Eure

Les Garrigues et les gorges du Gardon

Sur les franges montagneuses des Cévennes, au sud du massif Central, viennent s'épauler, les barres calcaires du pays des Garrigues de Nîmes. L'antique forêt claire méditerranéenne avait autrefois colonisé les hauteurs où affleure le calcaire ingrat. Le chêne vert, solide et trapu, qui garde toute l'année sa frondaison sombre, et le pin d'Alep, aérien et léger, en étaient les essences principales. Mais l'homme a longtemps laissé divaguer ses troupeaux voraces et destructeurs et n'a pas su, non plus, protéger ce fragile manteau forestier régulièrement ravagé par les flammes. La forêt claire, dégradée, laisse alors place peu à peu à une formation végétale plus résistante, la garrigue, où arbustes et buissons remplacent les futaies et supportent l'association caractéristique d'une chaleur intense et d'une sécheresse inévitable. Les racines plongent, se faufilent à la recherche d'un semblant d'humidité, les feuilles se roulent en fines épines ou se caparaçonnent d'un film vernissé protecteur et, pour s'isoler de ce milieu brûlant, chaque plante rivalise dans l'exhalaison d'un parfum capiteux et enivrant. Déjà tourné vers les Cévennes, le château de **Castelnau-Valence** a connu, au début du XVIIIe siècle, la révolte des camisards. Il aurait perdu un peu de sa superbe si la restauration énergique entreprise au XIXe siècle n'en avait fait cette farouche citadelle.

Creusées en véritable canyon, les **gorges du Gardon** tracent un sillon aux parois verticales, résultat de l'érosion du calcaire. Au creux d'une boucle étroite de la rivière, le pont Saint-Nicolas-de-Campagnac enjambe, depuis le XIIIe siècle, les eaux transparentes du Gardon. Très élégant, avec ses arches aux lignes pures et son parapet ajouré, il fut édifié par la confrérie des frères pontifes qui, sous l'impulsion de Bénézet, le bâtisseur du pont d'Avignon, entreprit, au cours du XIIIe siècle, un vaste programme de construction d'ouvrages d'art.

Le château de Castelnau-Valence

3

LE VAUCLUSE

ENTRE RHÔNE
ET VENTOUX

DE LA NESQUE
À LA DURANCE

1

L'AVIGNONNAIS

Avignon

Au cœur de l'écheveau compliqué des bras du Rhône où viennent se nouer les confluences puissantes de l'Ouvèze et de la Durance, la moindre éminence, le moindre rocher qui pointe au-dessus des eaux et des rives herbeuses, fut âprement convoité et investi. La force bouillonnante des eaux qui roulent au pied du rocher des Doms a certainement été à l'origine du nom de la ville. De la bourgade celte, *Aouennio*, le « maître des eaux », visitée et protégée par des voisins bien entreprenants, les Phocéens de *Massalia*, les Romains en ont fait, dans leur œuvre d'aménagement des territoires conquis, une *civitas* de la riche Narbonnaise.

Mais on ne peut, impunément, offrir aux rivalités des hommes, à la fois une situation de carrefour et un site bien protégé. Immanquablement, la cité devait devenir une proie. Barbares de toutes origines en viennent à passer par là, attirés par la lumière des terres méridionales. Pillages, sièges, batailles, razzias se succèdent et finissent par faire disparaître les vestiges des temps finalement bien prospères de la *pax Romana*. Avignon sombre alors dans le destin d'une cité craintive, opposant peu de résistance aux vagues meurtrières des épidémies et des invasions. Au XIIIᵉ siècle, au cœur des méandres complexes de la politique des rois de France, des comtes de Provence et des comtes de Toulouse, Avignon, fière de ses libertés et de son titre de commune, paye très cher son alliance avec les Raimond de Saint-Gilles, opposés aux rois de France dans la terrible croisade contre les albigeois. Résultat d'une habile politique matrimoniale de la reine Blanche de Castille, le mariage de son fils Charles, déjà comte d'Anjou, avec l'héri-

On y danse...

On ne peut prononcer le mot d'Avignon sans instinctivement retrouver, qui flottent au creux de la mémoire, avec la lenteur cadencée des chants enfantins, ces paroles jamais apprises et toujours sues... « Sur le pont d'Avignon... on y danse, on y danse... ». C'est un fait ! On y danse, « certains font comme ceci, d'autres font comme ça... » Peu importe, mais on y danse ! Et pourtant, quitte à briser ces tendres illusions, il est certain que l'on ne dansait pas sur le pont d'Avignon, mais bel et bien dessous ou du moins sur l'île de la Barthelasse qu'enjambait autrefois cette gigantesque œuvre d'art ! C'est au XIIᵉ siècle que saint Bénézet, le petit pâtre – décidément les anges aiment à parler aux bergers et aux bergères – fut désigné pour jeter à travers les énormes remous du grand fleuve, ce double pont qui devait prendre appui sur l'île centrale et atterrir sur l'autre rive. Comment ne pas croire l'enfant qui, d'un coup de reins, soulève sans effort cette pierre que soixante bras d'hommes, dans un élan commun, n'auraient pu déplacer d'un pouce ? Enthousiasme, exaltation miraculeuse, voilà ce qu'il fallait, avec bien sûr des flots d'écus d'or, aux disciples de Bénézet, appelés les frères pontifes, pour ériger, sur d'anciennes piles romaines, un pont de bois de neuf cents mètres de long, filant sur ses vingt-deux arches vers Villeneuve-lès-Avignon, jusqu'au pied de la tour de Philippe le Bel. Mais le fleuve n'aime pas être dompté et, puissant et têtu, il arracha piles et tabliers jusqu'à lasser les hommes...

tière du comté de Provence, annonce une période de prospérité et de gloire pour la cité avignonnaise. Mais, incontestablement, c'est l'arrivée des papes en Avignon qui va donner à la ville ses lettres de gloire. Renommée, richesse, luxe, magnificence, voilà Avignon propulsée au rang des grandes capitales médiévales. Avec le retour du pouvoir pontifical à Rome, à la fin du XIVᵉ siècle, la ville retrouve son destin de cité provençale. En partie décimée par l'inexorable déferlement de la peste venue de Marseille en 1720, elle gomme vite cet accident démographique et, au moment de la réunion des États du pape à la France en 1791, elle a retrouvé sa puissance passée.

Délimitant un vaste périmètre arrondi, les **remparts** d'Avignon ont été construits au cours du XIVᵉ siècle. Portes, courtines et tours de garde, étroitement surveillées, devaient protéger la cité contre les exactions des bandes de routiers et les fureurs du fleuve capricieux qui coule à leurs pieds.

Par un châtelet puissant, le **pont Saint-Bénézet** venait s'y articuler. Il ne lui reste plus que quatre arches, le Rhône, trop fougueux ayant, avec ténacité, emporté maintes fois cet audacieux ouvrage qui a compté jusqu'à vingt-deux piles ! Sur le second pilier, la silhouette frêle de la chapelle Saint-Nicolas, mi-romane et mi-gothique, a longtemps abrité les reliques de saint Bénézet.

Le **rocher des Doms** dresse ses falaises courtes et abruptes au-dessus du pont d'Avignon. Dessiné en jardin d'agrément, c'est une des plus charmantes promenade de la ville. Les allées nettes qui crissent sous les pas, les lourdes frondaisons des arbres séculaires, les excavations moussues, les jets d'eau gentiment bavards, mènent invariablement vers le point de vue sur le Rhône et la ville en contrebas. Comment ne pas aller se mettre au garde-à-vous devant cet étrange cadran solaire analemmatique où notre ombre légère et fugitive désigne d'un trait sombre l'heure exacte du soleil ?

Avignon : le pont Saint-Bénézet et la chapelle Saint-Nicolas

Mais le fleuron, le cœur sublime de la ville reste, tout de même, cette forteresse cernée de murailles aveugles, de portes fortifiées, de donjons crénelées, cette citadelle en labyrinthe, couronnée de fins merlons aux archères taillées en croix, le palais des Papes. Protégés derrière leurs courtines imprenables, le **Palais-Vieux**, sobre et austère, à l'image de ce Jacques Fournier, inquisiteur impitoyable, devenu pape sous le nom de Benoît XII et le Palais-Neuf, plus aérien, plus léger, voulu et agencé par Clément VI, ce pape ami des lettres et des arts, offrent, presque en opposition, la diversité et la richesse respectives de leur décoration. Accrochés au mur de la **salle du Consistoire**, les portraits des sept papes d'Avignon donnent un visage à cette succession anonyme de prénoms numérotés et rappellent combien ces souverains pontifes n'étaient, après tout, que des hommes. Salle du Consistoire, elle a abrité le tribunal pontifical et a connu tous les drames et toutes les intrigues d'une histoire des plus mouvementées. Les fresques, en esquisse, en synopsis, de Simone Martini ornent le mur ouest. La **chapelle Saint-Jean** qui s'ouvre sur la salle est décorée de fresques de Matteo Giovannetti, peintes entre 1346 et 1348. Déjà sensibles à la perspective qui donne profondeur et relief, le peintre a su composer des scènes pleines de grâce et de poésie. Avec son plafond lambrissé, épousant la courbe douce de la carène d'un navire, le **Grand Tinel** était une des pièces les plus imposantes du palais. Salle de réceptions et de festins, ses vastes dimensions lui permettaient de recevoir des convives prestigieux et leurs innombrables suites. Le plafond, avant le terrible incendie de 1413, était tendu de toile bleu de nuit piquetée d'étoiles d'or. Derrière la cheminée monumentale qui s'adosse au mur nord, s'ouvrait la **cuisine de Clément VI**. C'est une pièce étonnante avec sa hotte pyramidale et son immense cheminée en cône pointu qui s'élève au-dessus du foyer. La **chapelle Saint-Martial** s'ouvre sur le Grand Tinel et fut décorée, elle aussi, par Giovannetti.

Des papes en Avignon

Sombres intrigues et luttes de factions ont poussé, au début du XIVe siècle, les pontifes romains à chercher un refuge serein et sûr pour exercer leur mission pastorale.

Le comtat Venaissin, tombé aux mains de l'Église en 1274, devait leur apparaître comme un havre de paix, loin de l'excitation de la ville de saint Pierre. Sept papes s'installent en Avignon, de 1309 à 1376. Tous sont d'origine française, Clément V, le premier a donc osé quitter Rome et s'installe dans le monastère du Groseau au pied du mont Ventoux. C'est à Jean XXII et à Benoît XII que l'on doit le palais des Papes et les splendeurs que l'on y accumule. Enfin, Pierre Roger, devenu pape sous le nom de Clément VI, négocie, en 1348, l'achat d'Avignon à la reine Jeanne de Sicile. De la richesse aux fastes, de la tolérance à la licence, de la liturgie à la pompe, la papauté avignonnaise sombre, peu à peu, dans un péché d'orgueil de bien mauvais aloi. Pour couronner le tout, Avignon, regorgeant de richesses, voit fondre sur elle, malandrins, vide-goussets, voleurs patentés et terribles routiers. Il faut donc, malgré les solides fortifications qui protègent déjà le palais des Papes, construire des murailles capables de garantir une relative tranquillité à tous les marchands, artistes, pèlerins et religieux qui se sont installés en Avignon. Et Avignon continue à vivre dans un luxe et une splendeur qui découragent même ses plus ardents défenseurs. Pétrarque qui vit là, finit par vitupérer contre « l'égout de la terre ». Le retour à Rome s'impose mais, les atermoiements et les intrigues politiques font se dresser, face à face, pendant plus de trente ans, papes et antipapes, dans les querelles stériles du grand schisme d'Occident.

De couleurs très vives, les fresques couvrent l'ensemble des voûtes et des murs et font la preuve de la maîtrise de ces peintres italiens, précurseurs des maîtres de la Renaissance. C'est dans cette chapelle que le Sacré Collège, réuni en conclave, procédait à l'élection des papes. La **chambre de Parement**, antichambre et salle d'audience du pape, abrite trois tapisseries des Gobelins. Au cœur de l'édifice, la **chambre du pape** est une vaste salle, ornée de peintures exécutées directement sur le mur. Sur un fond bleu ciel, les volutes gracieuses des rinceaux de feuillages s'enroulent en un gigantesque entrelacs où s'ébattent, petits oiseaux batailleurs et écureuils facétieux. Emprisonnés dans des cages dorées, les oiseaux dessinés sur les embrasures des fenêtres semblent encore prêts à chanter leur liberté perdue. Le pavement du *studium*, cabinet particulier de Benoît XII, en carreaux de terre cuite, est de toute beauté. Mais une des salles les plus étonnantes de ce palais reste la **chambre du Cerf**. Cabinet particulier de Clément VI,

les thèmes choisis pour sa décoration, scènes de chasse au cerf, au furet, au faucon, pêche dans un vivier… sont bien profanes ! La **chapelle Clémentine**, élégante et sobre a conservé la pureté de ses lignes gothiques ; elle donne sur une loggia qui s'ouvre au-dessus de la cour d'honneur par une large baie. C'est par cette **fenêtre de l'Indulgence**, peut-être un peu trop parfaitement restaurée, que les papes dispensaient leur bénédiction à la foule des fidèles amassés dans la cour. L'immense **salle de la Grande Audience** est voûtée en ogives qui reposent sur cinq piliers nervurés. Une fresque de Giovannetti, représentant les figures des prophètes sur un fond d'azur aux étoiles d'or, recouvre la voûte de la travée orientale où siégeait le Tribunal de la *Rota* – de la roue – peut-être en souvenir de la banquette circulaire sur laquelle prenaient place les treize juges nommés par le pape. La **salle de la Petite Audience**, transformée un temps en arsenal, a été décorée de fresques en grisaille, sur le thème très particulier des trophées d'armes.

Avignon, le palais des Papes : pavement du studium de Benoît XII

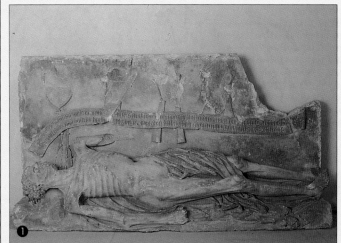

Avignon : le musée du Petit Palais

1 Tombeau du cardinal Jean de Lagrange

2 Botticelli : Vierge à l'Enfant

3 Vierge à l'Enfant entre deux saints et deux donateurs (école d'Avignon)

4 L'Enlèvement d'Hélène de Liberale da Verona

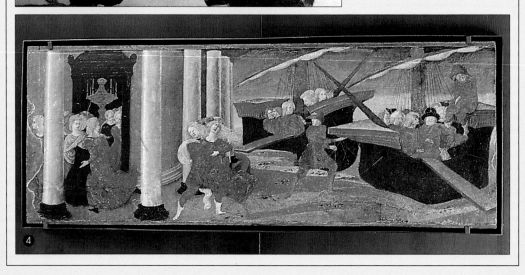

Le musée du Petit Palais

Le Petit Palais d'Avignon était devenu la demeure des évêques de la ville, quand les papes décidèrent de s'installer en Avignon. Transformé en musée, il s'est spécialisé dans les œuvres des peintres du Moyen Âge et de la Renaissance. Son fond, d'une prodigieuse richesse, reflète parfaitement ce passage délicat entre la peinture des primitifs, que l'on peut admirer dans la première salle, et l'exubérance géniale des maîtres italiens des salles suivantes. Des fragments du tombeau du cardinal Jean de Lagrange, ancien ministre de Charles VI, jouent sur un réalisme et un pathétique qui annoncent déjà l'art baroque. Les peintures ont patiemment cheminé, depuis les grandes villes italiennes, vers celui qui, par ses activités de banquier-prêteur du mont-de-piété de Rome, a su constituer, en plein XIXᵉ siècle, une collection personnelle inestimable, le marquis Campana. Condamné pour détournement de fonds, il doit se résoudre à vendre ses biens. C'est Napoléon III qui, au nom de la France, rachète l'ensemble des œuvres de la collection Campana. Depuis la seconde guerre mondiale, le musée du Petit Palais en a récupéré la plus grande partie. L'école florentine, du début du XIVᵉ siècle, abandonne l'immobilité compassée des modèles byzantins et réorganise, avec beaucoup de liberté, la composition des tableaux. *La Vierge à l'Enfant* de Taddeo Gaddi en est le plus parfait témoignage. Du XVᵉ siècle, à côté du petit coffre de mariage racontant l'histoire de la pauvre Suzanne, de Domenico di Michelino, nous est parvenue la très belle *Vierge à l'Enfant* du tout jeune Botticelli. *L'Enlèvement d'Hélène* de Liberale da Verona et surtout, la *Sainte Conversation* de Vittore Carpaccio du XVIᵉ siècle ne sont que quelques-uns des chefs-d'œuvre exposés.

Avignon, le musée du Petit Palais : la Sainte Conversation de Vittore Carpaccio

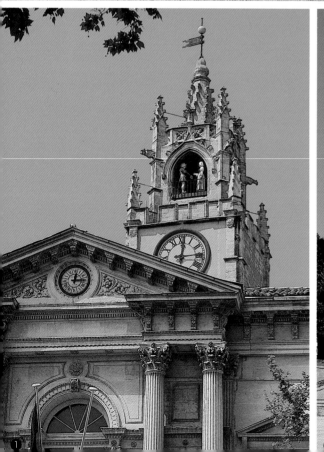

❶

❷

Juste en face du palais des Papes, **l'hôtel des Monnaies**, du XVIIe siècle, fut construit pour abriter la légation pontificale du cardinal Borghèse. Dragons et aigles, armes du légat, se dressent fièrement sur des guirlandes de fruits et de fleurs qui s'échappent en banderoles de la gueule de quatre monstres grimaçants.

La place de l'Horloge est le cœur vivant d'Avignon. La tour du Jacquemart qui surplombe **l'hôtel de ville** est l'unique vestige gothique du couvent des Dames-de-Saint-Laurent.

La densité des églises, chapelles et couvents est telle en Avignon, à l'époque des papes, que Rabelais lui-même la surnomme, « la ville sonnante » ! Des églises, il en fleurit, pendant ce XIVe siècle, à chaque pas.

La **cathédrale Notre-Dame-des-Doms** avec son clocher carré, a subi de lourdes transformations au cours de sa longue histoire. D'origine romane, elle a été déjà embellie au XIIe siècle et connut son heure de gloire au XIVe siècle avec l'arrivée des papes. Pourvue d'une simple nef, elle se voit alors agrandie de chapelles latérales, d'un chœur et d'une abside monumentale. Le XVIIe siècle, avec son goût pour les décors baroques, fouillis inextricable de guirlandes, de friselis et d'entrelacs d'où émergent les figures pathétiques et maniérées de sainte Marthe et de sainte Marie Madeleine, vient surcharger un peu l'ordonnancement roman de la nef. Un siège épiscopal en marbre blanc, flanqué de griffons, s'orne encore de draperies pourpres ; et les tombeaux, fort peu modestes, des papes avignonnais, Jean XXII et Benoît XII, s'élèvent en fines dentelles au-dessus des gisants.

C'est l'art gothique flamboyant, avec cette recherche presque excessive du décor en volutes et en langues de flamme, qui offre à **l'église Saint-Pierre** sa magnifique façade. Les deux vantaux de son portail, en bois sculpté, procèdent de la même sensibilité artistique. Exécutés en noyer massif par Antoine Volard, pour un salaire de soixante écus d'or, ils sont, désormais, inestimables. Sur le battant gauche,

Notre-Dame-des-Doms : détail du siège épiscopal

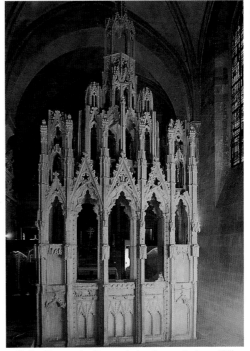

Notre-Dame-des-Doms : le tombeau de Jean XXII

saint Michel terrasse le dragon et saint Jérôme chemine accompagné de son fidèle ami le lion. Sur le battant droit, saint Gabriel, au fin visage de jeune fille, le doigt levé, annonce à Marie, installée dans un grand fauteuil, la naissance de Jésus. Une Vierge à l'Enfant décore le trumeau central.

L'église Saint-Didier met en scène, sur son devant d'autel, le portement de la croix où la Vierge, à genoux, se pâme de douleur devant son fils que l'on crucifie.

Il est impossible de les citer toutes mais **l'église Saint-Agricol** avec sa façade gothique et son célèbre retable des Doni, où Imbert Boachon a sculpté, en 1525, sa vision très personnelle de l'Annonciation, mérite le détour. Les confréries de Pénitents se comptaient, elles aussi, par dizaines et la **chapelle des Pénitents-Noirs** porte sur ses murs, dans un bouillonnement vaporeux de nuées d'où émergent les tendres visages d'angelots ailés, la tête coupée de saint Jean Baptiste, déposée sur un plat que soutiennent deux anges potelés !

Les maisons particulières contiennent, elles aussi, les traces de cette splendeur passée et la façade gothique du **palais du Roure**, avec son entrelacs de branchages épineux, en est l'exemple même.

Au XVIIIe siècle, dans la **rue des Teinturiers**, les artisans fabricants d'indiennes ou tissus imprimés s'étaient regroupés afin d'utiliser au mieux les eaux de la Sorgue à la fois pour la production d'énergie et pour le rinçage des tissus peints. Quelques roues à aubes, dont certaines tournent encore, rappellent qu'à cette époque, six ateliers employaient, ici, plus de cinq cents personnes.

De **l'abbaye de Saint-Ruf**, fondée en 1039, à l'extérieur des remparts, près d'une nécropole paléochrétienne, par des religieux de Notre-Dame-des-Doms, il ne subsiste que le transept, le clocher et le chevet de l'église. La décoration soignée devait en faire un édifice élégant mais les transformations qu'il subit occultent la vision d'ensemble qu'aurait pu nous offrir ce lieu.

Avignon, l'église Saint-Pierre : le ventail gauche

Avignon : l'abbaye de Saint-Ruf

Avignon

1 Le palais du Roure : détail de la façade

2 L'église Saint-Didier : le portement de la croix

3 L'église Saint-Didier : fresque de l'Annonciation

4 La chapelle des Pénitents-Noirs : détail de la façade

5 L'église Saint-Agricol : retable des Doni

6 Roue à aubes rue des Teinturiers

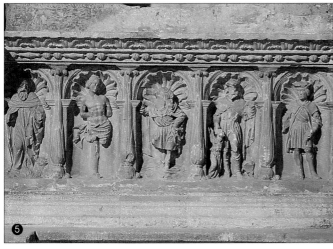

1. Musée Lapidaire : bas-relief de Cabrières-d'Aigues

2. Musée Lapidaire : relief en tête d'un décret de proxénie pris par Démosthène

3. Musée Lapidaire : la Tarasque de Noves

4. Musée Vouland : faïence de Marseille

5. Musée Requien : une pièce de l'herbier

Musées en Avignon

Le **musée Lapidaire**, dans l'ancienne chapelle des Jésuites, recèle quelques uns des vestiges antiques les plus extraordinaires de Provence. La *Tarasque de Noves*, poings serrés sur la tête de deux vieillards barbus, ricane méchamment au milieu des statues antiques aux thèmes très variés. De la jeune fille qui roule sa chevelure au *Bacchus* de Saint-Gabriel, de la *Vénus de Pourrières* aux fidèles portraits d'empereurs romains, tous les sites de Provence ont fourni quelques pièces pour ce musée hors du commun. Même sans chef, la statue colossale de *Jupiter* est une belle œuvre découverte à Séguret. Vêtu de la tunique frangée des imperators, le dieu s'appuie sur ses deux attributs traditionnels, la roue et l'aigle. Une des plus fascinantes pièces exposées là, est un bas-relief retrouvé à Cabrières-d'Aigues, sur lequel les artistes sculpteurs ont représenté une scène de halage sur un fleuve.

Le **musée Requien** fondé par le botaniste Esprit Requien, au XIXe siècle, est devenu le musée d'histoire naturelle d'Avignon. Il présente des collections en géologie et paléontologie mais c'est la faune et surtout la flore qui passionnaient Requien. Aussi son herbier reste-t-il la pièce maîtresse du musée.

Le **musée Louis Vouland** protège un trésor de faïences fabriquées dans les ateliers provençaux de Marseille, de Montpellier et de Moustiers.

Le **musée Calvet** a été voulu par Esprit Calvet, professeur à la faculté de médecine d'Avignon au XVIIIe siècle. Il désirait ouvrir au public un « lieu de culture ». Les donations et les achats en ont fait un grand musée, malheureusement fermé au public.

À **Villeneuve-lès-Avignon**, le musée abrite un retable du XVe siècle, le *Couronnement de la Vierge*, œuvre d'Enguerrand Quarton, découverte au siècle dernier par Mérimée.

Musée municipal de Villeneuve-lès-Avignon : le Couronnement de la Vierge d'Enguerrand Quarton

1

2

Villeneuve-lès-Avignon

Bâtie sur les bords même du fleuve, Villeneuve-lès-Avignon doit sa prospérité à la frontière historique qui a longtemps séparé les terres royales des terres pontificales. Lien fragile et ténu, le pont Saint-Bénézet reliait, surveillé de près par la tour Philippe le Bel, la ville neuve près d'Avignon et la vieille Avignon !

Les membres de la cour qui entoure alors le souverain pontife, à la recherche de terres et de demeures dignes de leur rang, n'hésitent pas à passer le pont et à s'installer dans les *livrées* de la ville nouvelle. Les établissements religieux s'y multiplient comme la chartreuse du Val-de-Bénédiction.

Le cardinal Étienne Aubert a été élu souverain pontife grâce au désistement, bien opportun, du général de l'ordre des Chartreux. Devenu pape sous le nom d'Innocent VI, il n'oubliera jamais ce geste et fait don de sa *livrée*, sise à Villeneuve-lès-Avignon, à l'ordre des Chartreux. Les travaux d'embellissement sont rondement menés et, grand mécène, Innocent VI prête son peintre favori, Matteo Giovannetti, qui décore de fines fresques la chapelle pontificale. Très attaché à la chartreuse, Innocent VI demande même à y être enterré, et son mausolée, en fines nervures de pierre, a retrouvé sa place dans l'église. Elle devient, peu à peu, la plus grande chartreuse de France, avec ses trois clôtures, le petit cloître enfoui dans le dédale des bâtiments conventuels, le cloître du cimetière avec sa rangée de cellules des pères, ouvertes sur de minuscules cours individuelles, et le grand cloître Saint-Jean avec la rotonde qui protège la fontaine Saint-Jean.

L'ancien fort Saint-André et sa grande porte fortifiée à tours rondes et jumelles ne protège plus que les restes de l'abbaye bénédictine Saint-André et la chapelle Notre-Dame-de-Belvézet du XIIᵉ siècle. Le bourg Saint-André s'est définitivement tu, abandonnant aux herbes folles et aux oiseaux ses derniers pans de mur.

Villeneuve-lès-Avignon, la chartreuse : le petit cloître

Villeneuve-lès-Avignon : le mausolée d'Innocent VI

Villeneuve-lès-Avignon : fresques de la chapelle

1 Barbentane : le château

2 Barbentane : la tour Anglica

3 Notre-Dame-de-Grâce : un ex-voto

4 Caderousse : l'église Saint-Michel

5 Roquemaure : le château

Entre Avignon et Orange

Le château de **Barbentane,** du XVIIᵉ siècle fut bâti selon les préceptes très stricts d'un style qui se voulait chef-d'œuvre d'élégance et d'harmonie, le style classique. Sa façade aligne des baies autour d'un axe de symétrie, encore bien mis en valeur par les parterres et les bassins du vaste parc qui l'entoure. La tour Anglica, qui domine la ville est un ancien donjon du XIVᵉ siècle.

À l'intérieur de **Notre-Dame-de-Grâce**, près de Rochefort-du-Gard, sont accrochés, à ses murs, des ex-voto qui rappellent avec quelle ferveur et quelle constance on a pu prier la sainte mère de Jésus.

Le château de **Roquemaure** dresse droit vers le ciel les restes hiératiques d'un sévère donjon. Clément V, le premier pape en Avignon vint y mourir en 1314. La cité, sur les rives du Rhône a longtemps joué le rôle de halte pour les lourds bateaux qui transitaient sur le fleuve, leurs cales pleines du vin des vignes de Châteauneuf et de Tavel. Sur l'autre rive, l'ancien *castellum* de Leris, le château de **l'Hers** surveillait, lui aussi, la vallée.

Du *château neuf* que les papes ont fait construire au temps de la gloire pontificale avignonnaise, il ne reste plus que vestiges fragiles. Et c'est le palais d'Avignon qui porte, en paradoxe, le nom de Palais-Vieux ! Mais les ruines altières de la résidence secondaire des papes ont donné leur nom à un des vins les plus célèbres de la vallée du Rhône, le châteauneuf-du-pape.

Certaines sources affirment que c'est à **Caderousse**, quelques kilomètres en amont, que Hannibal aurait traversé le Rhône avec son armée (dont trente-sept éléphants !), en 218 avant J.-C. Le village, protégé par une digue, se méfie encore du fleuve qui a souvent envahi ses rues. À l'intérieur de l'église romane Saint-Michel, les de Grammont, seigneurs du lieu, firent bâtir, en style gothique flamboyant, une élégante chapelle.

Le vin des papes

Autour de ce *château neuf* que les papes ont agencé en une solide demeure campagnarde, des terrasses alluviales aux sols légers et chauds s'élèvent en coteaux depuis la rive du fleuve. Par un formidable mais très discret échange thermique, les sols absorbent la chaleur du soleil et la dispensent au cours de la nuit, au moment où le gel peut devenir mordant et meurtrier. La vigne s'y acclimate et produit un vin blanc ou rouge, d'excellente réputation, dès le XIVᵉ siècle. Désormais, la très stricte Appellation d'Origine Contrôlée « Châteauneuf-du-pape » en garantit l'origine et la qualité. Dans le caveau, la cave, du père Anselme, le musée des vignerons a trouvé un cadre idéal pour présenter le travail ancestral et si noble de la vigne. On y découvre un foudre du Moyen Âge qui a pu recevoir ce vin perlé et rutilant qui coulait alors dans les verres si fins du palais des Papes.

Caveau du père Anselme : foudre du XIVᵉ siècle

2

D'ORANGE AU VENTOUX

Orange

Il suffisait d'un terroir tout en douceur, où viennent se rejoindre, en confluence, le Rhône et l'Aigues, au nom si explicite, pour que les hommes décèlent tous les avantages qu'ils pouvaient tirer de leur installation en ces lieux. Le site d'*Arausio*, Orange, est traditionnellement un lieu de passage et depuis bien longtemps les obscures tribus celtes des *Tricastini* s'y sont arrêtées et installées.

Alors, par la grande vallée rhodanienne, les vagues déferlantes des peuplades du Nord et de l'Est de l'Europe débouchent avec surprise dans un monde baigné de lumière dorée. À partir de 120 avant J.-C., Cimbres et Teutons dévalent en trombe et menacent la Gaule transalpine, aire d'expansion pourtant réservée aux ambitions de Rome. L'armée, guidée par Servilius Cæpio, arrive en vue de la petite bourgade des *Tricastini*. Sa mission est particulièrement ardue et périlleuse. Il faut, coûte que coûte, arrêter net ces Teutons, ces colosses violents qui hurlent leur détermination et leur courage. Mal commandée, désorientée, bousculée, puis piétinée et anéantie, la pauvre armée essuie un échec si retentissant que la clameur en parvient jusqu'à Rome. Il faut réagir et le consul Marius, ambitieux et opportuniste, trouve là, une occasion rêvée pour servir sa carrière. En 102, il se porte à la rencontre des peuples nordiques et les écrase près d'un hameau, au nom encore bien insignifiant de *Aquæ Sextiæ*, la future Aix-en-Provence. Ce n'est que plusieurs décennies plus tard, qu'*Arausio* accueillera les vétérans de seconde légion *Gallica* qui en feront une colonie romaine, classée par Pline l'Ancien, dans son *Naturalis Historia*, parmi les plus grandes villes de la Narbonnaise. En effet, les vétérans, à la fin de leur engagement dans une légion, recevaient, en échange de leur service militaire, des terres qu'ils occupaient et mettaient en valeur dans le cadre de colonies. On comprend pourquoi Orange possède toujours, dans son musée, des fragments de pièces de marbre, où a été gravé avec soin, l'émouvant parcellaire d'un cadastre parfaitement ordonné et souvent révisé. Il existe en réalité trois cadastres différents, tant par les lieux qui s'y trouvent analysés que par la nature même des terres qui les composent. De Châteaurenard à Orange, d'Orange à Montélimar, ils couvrent une vaste superficie de terres. Bollène semble être à la croisée des deux grands axes traditionnels d'arpentage des sols à l'époque romaine, le *cardo* et le *decumanus*. Les indications portées sur les cadastres concernent plus particulièrement les terres, aux statuts juridiques très divers selon qu'elles sont considérées comme terres romaines, terres coloniales louées, terres indigènes payant tribut ou carrément terres d'État.

Mais ce qui fait le renom de la ville, ce sont ses deux monuments, très romains, du premier siècle avant J.-C., le théâtre antique et l'arc de triomphe.

Le théâtre antique, parmi les mieux conservés du monde romain, déploie, en arc de cercle, sa *cavea* de gradins adossés à la colline. *L'orchestra*, demi-circulaire, marque la partie la plus basse de l'édifice. Une vaste bâtisse rectangulaire, la *scæna*, servait à la fois de décor et de coulisses. Le mur de scène était orné de statues et de colonnes et pouvait recevoir des décors provisoires et toute la machinerie compliquée nécessaire pour mettre en scène, ascensions, apparitions et disparitions, avec un maximum d'effets dramatiques. Le théâtre d'Orange, par sa configuration très étudiée, offre une acoustique remarquable et, pour renforcer encore cette qualité d'écoute, un toit, gigantesque porte-voix, recouvrait la scène. On aperçoit encore la rainure dans laquelle il était scellé. Des mâts retenaient les cordages tendus du *velum*, cette pièce de toile que l'on disposait au-dessus des spectateurs pour les protéger du soleil. Une statue de l'empereur Auguste, colossale, à la taille du monument qui l'accueillait, a été restaurée et placée dans sa niche centrale où elle rend hommage à celui qui fit don du théâtre à la riche colonie d'Orange.

Un **arc de triomphe** s'ouvre sur l'antique *via Agrippa* qui courait d'Arles à Lyon. Bien campé sur ses trois arches, il devait commémorer les actes héroïques accomplis par la seconde légion, au nord de la Narbonnaise. Les sculptures de ses deux attiques superposées présentent des armes disposées en trophées, ainsi que l'accastillage au grand complet des navires de guerre romains. Sur la frise fourmillante et confuse des combats, le légionnaire triomphe invariablement, près du tableau pathétique de captifs enchaînés, pensifs et sans espoir.

Orange, l'arc de triomphe : trophées

Orange, l'arc de triomphe : attributs marins

Orange : l'arc de triomphe

Orange, le théâtre : le mur de scène ▶

Entre Aigues et Lauzon

Camaret-sur-Aigues s'est entouré, au cours du Moyen Âge, d'une lourde enceinte fortifiée dont un des vestiges les plus célèbres nous est parvenu presque intact, la porte de l'Horloge, avec ses deux tours rondes et son gracieux campanile.

Le château de **Mornas,** qui dépendait des évêques d'Arles, avait été pris et reconstruit par le comte de Toulouse en 1197. Pendant les guerres de Religion, il fut investi par les protestants qui précipitèrent les habitants, fidèles catholiques, du haut de la falaise.

Ancienne possession des papes en Avignon, la ville de **Bollène** occupe le site privilégié d'une terrasse fluviale tailladée par les eaux rapides du Lez. Elle a gardé de son passé un parfum de cité tranquille, protégeant, dans sa gaine de remparts, riches demeures et grandes églises. L'ancienne collégiale Saint-Martin a connu bien des restaurations depuis sa consécration

Camaret-sur-Aigues : la porte de l'Horloge

L'Harmas de Jean-Henri Fabre

Avec son mauvais caractère et ses idées parfois extraordinaires Jean-Henri Fabre fait beaucoup parler de lui en cette fin de XIXe siècle. Savant botaniste et entomologiste, il étudie les insectes et vit en Avignon. Mal accepté par le milieu aisé et cultivé de la ville, cet étranger, ce rouergat, cherche un lieu favorable à la poursuite de ses travaux. Il trouve enfin, en 1879, près de Sérignan, un *harmas*, une propriété en friche, devenue depuis longtemps le paradis de toutes les espèces grouillantes, rampantes, voletantes des insectes provençaux. Dans son laboratoire d'entomologie vivante, comme il aime à le définir, il va pouvoir observer *in situ*, cette minuscule faune. Il nous a légué la somme de ses collections et de ses travaux notamment ses recherches célèbres sur la très bizarre chenille processionnaire du pin et sur les champignons de la région.

L'Harmas de Jean-Henri Fabre : la salle

L'Harmas de Jean-Henri Fabre : insectes

au XIIe siècle. Son clocher, plus donjon que fragile campanile se dresse au-dessus de la nef flanquée d'épais contreforts. Sa position, au point le plus élevé de la ville, en fait un lieu privilégié d'où le regard embrasse, d'un seul coup, le long fuseau de terre fertile, cerné par la ligne tendue du canal de Donzère-Mondragon qui s'écarte et double le Rhône.

La forteresse de **Suze-la-Rousse** a été bâtie au sommet d'une colline enfouie dans la douce verdure d'une forêt de chênes. Massive, solidement campée sur des ouvrages de terrassement colossaux, elle fut ceinturée de mâchicoulis et couronnée d'une ligne de merlons et de créneaux intercalés. Sa construction, qui date du XIVe siècle, en fait un des derniers témoins de l'application avec laquelle on voulait bâtir des repaires théoriquement inexpugnables, à une époque où les affrontements avaient lieu, de plus en plus, sur des champs de bataille ouverts et fluctuants. La Renaissance vint adoucir un peu cette rude figure de citadelle. À l'intérieur, des fresques racontent le siège de Montélimar,

ce terrible épisode des guerres de Religion au cours duquel, le seigneur de Suze-la-Rousse, gravement atteint, exhorte sa pauvre jument qui n'en peut plus, à revenir avec lui « mourir à Suze-la-Rousse… ».

Tout près de **Visan**, la chapelle Notre-Dame-des-Vignes, du XIIIe siècle, est dédiée à la sainte mère et possède une statue de la Vierge, placée dans un cadre de boiseries dorées datant du XIIIe siècle.

La commanderie de l'ordre des Templiers de **Richerenches** rappelle que cet ordre de moines-soldats s'était rendu expert dans la défense des routes et des chemins et en particulier, ceux des pèlerinages médiévaux.

L'église de **Montségur-sur-Lauzon**, adossée à la falaise, est en apparence un édifice d'une grande simplicité avec sa façade quasiment aveugle et son étroit clocher, mais ses prolongements cachés dans les entrailles du rocher en font une église en partie troglodyte.

À quelques kilomètres vers le nord, on peut apercevoir le beffroi de **Chamaret**.

Suze-la-Rousse : le château

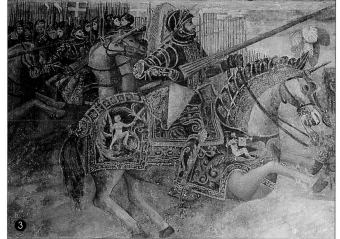

① Visan : Notre-Dame-des-Vignes

② Suze-la-Rousse : détail de la fresque du siège de Montélimar

③ Suze-la-Rousse : détail de la fresque du siège de Montélimar

④ Chamaret : le beffroi

⑤ Montségur-sur-Lauzon : l'église

Grignan

Le château appartint à François de Castellane d'Adhémar de Monteil, comte de Grignan, lieutenant général de Provence de 1669 à 1714, plus connu comme gendre de Madame de Sévigné qui ne lui pardonnera jamais vraiment de lui avoir un peu volé sa fille. La présence d'un *castrum* est attestée dès le XIᵉ siècle ; au XIIIᵉ, un château fort est construit, qui sera transformé, au XVᵉ, en château d'agrément. Au XVIᵉ siècle, Louis Adhémar, déjà gouverneur de Provence, aménagea la façade et la cour de ce château qui présente, en une étrange synthèse, une nette influence Renaissance sur sa façade du midi, un pavillon gothique et des appartements classiques. Dans le labyrinthe des pièces, les meubles (dont un *cabinet* italien) et les tapisseries d'Aubusson ont gardé le souvenir de cette brillante société. L'église Saint-Sauveur conserve la tombe de Madame de Sévigné, identifiée par une plaque funéraire.

Grignan, le château : une tapisserie d'Aubusson

Madame de Sévigné

Le 2 novembre 1679, Madame de Sévigné cherche les derniers mots pour clore la longue lettre qu'elle écrit à sa fille : « Adieu ma chère enfant : je vous aime au-delà de tout ce qu'on peut aimer. » Elle a résumé ainsi cet amour maternel, cette tendresse débordante qu'elle voue à sa fille, mariée au comte de Grignan, lieutenant général de Provence. Enjouée et spirituelle quand elle lui raconte les épisodes croustillants de la vie à la cour, elle peut devenir grave et sérieuse lorsqu'elle lui fait part de ses réflexions philosophiques ou morales. Avec un art consommé du récit, elle veut maintenir sa lectrice en haleine et ses écrits, si finement composés, au style si fluide et si naturel, ont pu ainsi devenir, à titre posthume, ce chef-d'œuvre du genre épistolaire. Elle est venue, souvent, retrouver sa fille en Provence et aimait aller méditer dans la grotte de Rochecourbière.

La grotte de Rochecourbière

CY GIT
MARIE DE RABUTIN CHANTAL
MARQUISE DE SEVIGNÉ
DÉCÉDÉE LE 18ᵉ AVRIL 1696.

Grignan : plaque funéraire de Madame de Sévigné

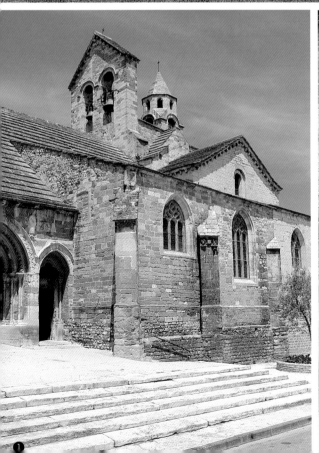

La vallée de la Coronne

Le comtat Venaissin, possession pontificale qui s'étend sur la plaine du Vaucluse, avait, au XIVᵉ siècle, des frontières septentrionales plutôt fluctuantes. Les papes convoitaient, dans un souci permanent d'extension de leur aire de domination directe, la minuscule mais riche vallée de la Coronne et sa perle, la cité de **Valréas.** Le pape Jean XXII, moyennant finances, racheta au Dauphin Humbert Iᵉʳ, comte de Viennois, ses droits sur la seigneurie de Valréas. Toujours dans le droit fil de cette politique expansionniste, s'effectuèrent les achats successifs de Visan et Grillon. C'est la monarchie française et Charles VII en particulier qui bloquèrent définitivement ce processus d'annexions discrètes et, sans demander la restitution des terres déjà acquises, refusèrent tout nouvel achat pontifical dans la région. L'enclave de Valréas est née et reste, après plusieurs siècles de centralisation républicaine une petite verrue vauclusienne dans le département de la Drôme. L'église Notre-Dame-de-Nazareth de Valréas des XIᵉ et XIIᵉ siècles, a conservé son beau portail roman. Ses trois portes s'ouvrent sur le feston de ses arcs trilobés et le vantail central est surmonté par la courbe régulière et finement sculptée de trois rangées de voussures en plein cintre. Pauline de Grignan, celle que sa grand-mère, Madame de Sévigné, appelait avec tendresse sa « jolie enfant », a vécu dans le château de Simiane du XVIIIᵉ siècle qui abrite désormais l'hôtel de ville de Valréas.

À quelques lieues de là, la petite cité médiévale de **Taulignan** a conservé son manège de tours de garde et de courtines. Ses vieilles ruelles offrent toujours des façades Renaissance avec leurs légers arcs en accolade qui surmontent les portes et la fine architecture de leurs fenêtres à meneaux.

Au pied des premières pentes du massif des Baronnies, le village de **Venterol**, adossé à la montagne protectrice, regarde vers la riche plaine du comtat Venaissin.

Valréas : détail du portail de l'église

Venterol

Nyons

Entourée de montagnes au front haut, la ville de Nyons s'est nichée au sortir des gorges étroites de l'Eygues (l'Aigues). Depuis le XIVe siècle, un pont roman à arche unique, jeté en équilibre au-dessus des eaux limpides de la rivière, ouvre une voie de passage vers Orange et Montélimar. Avec un climat d'une douceur exceptionnelle, la ville est devenue le cœur du pays des olives et les moulins à huile y fonctionnent toujours. La tour Randonne, du XIIIe siècle, découpe sur le bleu profond du ciel, l'élégante et aérienne coiffure de son clocher et la rue des Grands Forts, dans une opposition bien sentie, offre les cheminements obscurs de sa longue galerie, taillée dans le rocher, à peine éclairée par de petites baies ouvertes sur le soleil. Mais Nyons n'est pas seulement le pays de l'olive. La truffe, le miel et l'abricot, sont des trésors de saveurs pour le fin gourmet provençal.

Onctueuse et dorée

À Nyons, les oliveraies se permettent de porter le nom de forêts et, du haut de la montagne des Vaux, le bassin de Nyons copie sa grande sœur, la Grèce. La petite olive de Nyons, noire et ridée, se récolte très tard, en décembre voire en janvier. Parce qu'elle est broyée, malaxée puis pressée à froid, elle donne une huile onctueuse, parfumée et d'une qualité supérieure, au point qu'elle a obtenu l'Appellation d'Origine Contrôlée huile d'olive de Nyons. La ville se devait donc d'ouvrir un musée de l'olivier qui présente tous les outils traditionnels, nécessaires à la culture de l'olivier et à la fabrication de l'huile. Pour apprécier ce savoir-faire ancestral, il faut pénétrer dans ces vieux moulins à huile où tournait sans fin la vis du pressoir au-dessus des larges mâchoires de la meule.

Nyons : la tour Randonne

Le pressoir d'un moulin à l'huile

① ②

Vaison-la-Romaine

Bien avant l'arrivée des Romains, le peuple d'origine celte, les Voconces, s'est installé entre Rhône et mont Ventoux. L'Eygues (l'Aigues) et l'Ouvèze, aux eaux translucides et vertes, traversent, toutes ébouriffées d'écume, les reliefs complexes et tourmentés des Baronnies. L'Ouvèze, raisonnable, ne s'attaque pas directement au mur infranchissable des Dentelles de Montmirail et contourne par le nord la haute barrière rocheuse. C'est au creux de cette vaste courbe de la rivière que *Vasio Vocontiorum*, la capitale des Voconces, protège, derrière son enceinte de gros village fortifié, un marché florissant et les sanctuaires consacrés à quelques divinités locales.

Avide d'espace à dominer, le monde romain se dilate et fait entrer, de gré ou de force, le territoire des Voconces dans la catégorie des *civitas*, ces cités-états composées de *l'urbs*, la ville, centre religieux, économique et politique et d'un territoire rural qu'elle protège et domine.

La *civitas vasiensium* est donc le territoire des Voconces du Sud et devient, dans le cadre de l'alliance avec le peuple romain, une cité fédérée. Avec Auguste, la *pax Romana*, la paix Romaine, implique la soumission fidèle au pouvoir impérial et, en corollaire, l'assurance d'une prospérité et d'un rayonnement local particulièrement prisés par les classes nobiliaires et les élites locales. C'est le commerce qui assoit la fortune de la ville de Vaison et, paradoxalement, c'est par sa rivière, la turbulente Ouvèze, qu'elle s'enrichit. En effet, Vaison est un port où viennent accoster, les péniches-radeaux flottant sur leurs outres de peau. Contre son blé et son vin, elle reçoit des produits de luxe qui vont contribuer à la romanisation des populations autochtones. Au premier siècle après J.-C., Vaison est une véritable ville gallo-romaine. En acceptant de s'installer dans l'espace urbain et de copier la prodigieuse capitale romaine, l'élite gauloise entame une assimilation qui la fera accéder aux dignités civiles et religieuses et obtenir enfin le statut prestigieux que confère la citoyenneté romaine.

Logiquement, Vaison s'équipe alors de tout l'arsenal des commodités associées à une urbanisation réfléchie. Et tout d'abord l'eau, autant dire la vie dans ce milieu méditerranéen où sécheresse et pénurie ont réveillé des trésors d'ingéniosité et de courage pour en maîtriser l'utilisation et la jouissance. Dix kilomètres de long, un dénivelé de deux cents mètres pour l'aqueduc de Vaison qui prend son eau à la source du Groseau, au pied du mont Ventoux. Fontaines et thermes avec leur chauffage en hypocauste et la succession habilement graduée de leurs salles froides, puis tièdes, puis chaudes, consomment une telle quantité d'eau courante qu'il a fallu songer à l'évacuer par un système d'égouts très ingénieux, déchargeant, par gravitation naturelle, le trop-plein des eaux usées dans la rivière au bas de la ville.

La nécessité d'enjamber sans problème l'Ouvèze et ses eaux vives a fait choisir le site le plus favorable, l'étranglement le plus étroit de la rivière qui se faufile entre ses deux berges, escarpées et rocheuses. Avec son arche unique et largement ouverte au-dessus des eaux, le pont romain a résisté à tous les malheurs et aux caprices dévastateurs d'une rivière dont les sautes d'humeur meurtrières sont encore dans toutes les mémoires.

La ville s'ouvre sur l'éventail de ses voies romaines à partir de ses deux axes traditionnels, *cardo* et *decumanus*, et de leurs ruelles adjacentes où le pavement a été parfaitement conservé. Les fouilles archéologiques ont mis au jour, sur une quinzaine d'hectares, les vestiges des *domus*, ces grandes demeures privées à l'élaboration et à la réalisation desquelles, le confort, le luxe et la beauté ont présidé. La maison des Messii, la maison du buste en argent, la maison au dauphin, sont des palais au péristyle largement ouvert sur des jardins pleins de fraîcheur où l'eau babille et perle en douce cascade, de bassin en bassin, dans un décor de fines mosaïques. Le pavement de la villa du Paon est une œuvre d'artiste aussi bien par la richesse de ses coloris que par l'incroyable maîtrise des formes et du rendu du relief. Comme toute ville gallo-romaine, Vaison devait posséder un cirque et un amphithéâtre mais les seuls vestiges, à ce jour découverts, sont ceux, d'un théâtre adossé à la colline de Puymin. Les statues du Diadumène, d'Hadrien et de Sabine ornaient les galeries, percées de niches du portique de Pompée. Mais Vaison-la-Romaine possède aussi de bien nombreux vestiges médiévaux. La cathédrale Notre-Dame-de-Nazareth, dressée sur les fondations très païennes d'un ancien temple romain, offre un bel exemple de l'art roman provençal. Le cloître avec son inscription énigmatique et son étrange croix à double face ainsi que la chapelle Saint-Quenin à abside triangulaire complètent le décor fabuleux d'une ville témoin d'une histoire de plusieurs siècles.

Vaison, la chapelle Saint-Quenin : le chevet

Vaison, la chapelle Saint-Quenin : remploi mérovingien

Le musée archéologique Théo Desplans

Très discret, le musée de Vaison-la-Romaine se cache en sous-sol dans le quartier de Puymin, mais recèle la plupart des vestiges découverts lors des fouilles entreprises sur le site au début du siècle. Les salles s'enroulent autour d'un *atrium* central vitré. Dans une salle ont été regroupées des pièces épigraphiques, en majorité des inscriptions funéraires et religieuses. La salle des statues abrite les plus fins trésors de Vaison-la-Romaine. La nudité d'Hadrien contraste avec le lourd drapé qui enveloppe Sabine sa femme. Claude harangue la foule et Domitien arbore une cuirasse toute ciselée. Mais à qui appartenait cette tête ceinte d'une couronne de laurier ? À Apollon ou bien à Vénus ? Et apparaît enfin, pièce maîtresse, le buste d'argent d'un notable découvert en 1926 dans le quartier de la Villasse.

Le buste en argent d'un patricien

Les Dentelles de Montmirail

De ses doigts de fée, la nature a ciselé, sur un fond d'azur sombre, la silhouette délicate et fragile de cette longue crête rocheuse appelée, à juste titre, les Dentelles de Montmirail. Avec des soubresauts de colosse, les épaisses couches de calcaire jurassique ont fini par se dresser relevant haut vers le ciel cette échine de monstre, dardée d'aiguilles acérées. Ensuite, en croupe douce, la colline s'arrondit et se voile de la gaze légère de ses genêts dorés, piquetée du vert sombre de ses pins et de ses chênes au feuillage bavard.

Le village de **Crestet** est dominé par l'énorme masse de son château du XIIe siècle avec sa façade sévère trouée d'ouvertures méfiantes. Les ruelles, bordées de maisons anciennes grimpent jusqu'à la forteresse.

Séguret, bien protégé par un cirque de roches claires a toujours joui du privilège de la tranquillité qui baigne ces lieux. Avec de vieilles

Crestet : une ruelle

Séguret : l'église

ruelles qui ne savent que grimper ou dégringoler les pentes, un beffroi, une fontaine et une église du XIIᵉ siècle, le village a gardé tout son charme passé. Les vignes grimpent jusqu'au pied des falaises dressées et préparent en secret ce gigondas, chaleureux et fruité, qui laisse dans la tête le souvenir d'un étrange bien-être. Le village du **Barroux** est dominé par l'énorme silhouette de son château. Cette bâtisse de pierres claires est une véritable forteresse, lourde et inexpugnable construite au XIIᵉ siècle par les seigneurs des Baux. Mais de cette carapace conçue exclusivement pour la défense, les seigneurs successifs du Barroux en ont fait, surtout à partir du XVIᵉ siècle, une belle demeure Renaissance où rien ne manque, ni les larges fenêtres barrées de meneaux, ni les galeries délicates qui s'ouvrent en loggia italienne. Du village du Barroux jusqu'à **Suzette**, au nom si doux, village installé au sommet d'une colline cernée de vignobles, la route s'enfonce dans les replis de roche au pied du mont Saint-Amand.

La descente sur **Malaucène**, au cœur d'une forêt claire et parfumée est un enchantement. Il faut savoir s'arrêter auprès de la source du Groseau qui surgit, abondante et vive, au pied de la falaise.

Tout près, la chapelle **Notre-Dame-du-Groseau**, naïve et simple, avec son plan carré et son minuscule clocher, est le dernier vestige d'un monastère qui remonterait aux siècles obscurs de l'époque mérovingienne. Restauré dans toute sa gloire au cours du XIᵉ siècle, par les bénédictins de Saint-Victor de Marseille, le monastère fut choisi par Clément V, pape en Avignon de 1305 à 1314, comme retraite tranquille, lorsqu'il voulait fuir les tracas et les canicules estivales de sa capitale.

La barrière rocheuse de Montmirail, avec une altitude qui n'excède pas huit cents mètres, ne peut être classée dans la catégorie des montagnes et, pourtant, ses parois abruptes et ses arêtes aiguës lui donnent un petit air alpin au cœur d'un paysage typiquement méridional.

Suzette et les Dentelles de Montmirail

Le mont Ventoux

Il est le mont, le sommet, lui qui, au cœur d'un paysage de vallée alluviale aux formes amples, s'élève, en pyramide colossale, au-dessus de la plaine. 1 912 mètres d'altitude, rien de comparable avec ses voisines, les Alpes, et pourtant, on y retrouve, dans un échantillonnage exhaustif, tous les caractères d'un pays montagnard. Depuis la fin du XIXᵉ siècle, de Saint-Estève au Chalet-Reynard, la route entame une rude ascension où s'inscrivent, à chaque degré gagné vers le ciel, les strates changeantes d'un manteau végétal somptueux. De la forêt claire, toute enivrée de ses parfums distillés au soleil du Midi, jusqu'aux hêtres et aux sapins, ces arbres du froid réfugiés sur les plus hautes pentes, tous les étagements possibles se combinent et s'ajustent sur ses flancs. Au sortir des sous-bois, c'est tout d'un coup l'éblouissement, la clarté portée à son comble, les dernières rampes de l'enfer pour les champions cyclistes. Une stèle, commémorant la mort, en plein effort, de Tom Simpson lors du tour de France de 1967, y est érigée. À cet altitude, la roche, éclatée, réduite à l'état de cailloux par les mâchoires du gel, se pare d'un blanc si pur qu'elle fait pâlir de jalousie la neige qui ne manque pas de s'y agglomérer, en lourde couche compacte, dès le début de l'hiver. Du sommet couronné par son relais hertzien et ses stations météorologique et radar, le regard peut distinguer, au loin, le plan noyé de brume légère de la mer perdue dans un infini bleu, les bourrelets des Alpilles et de la montagne Sainte-Victoire, la gouttière vert tendre du sillon rhodanien, l'agglomération Marseille et là, au pied, à portée de main, le village de Bédoin groupé autour de son église de style jésuite. Mais le Ventoux, c'est aussi le vent, jamais tendre zéphyr, toujours vif aquilon ou bise sournoise. Et quand maître mistral souffle sa rage, il amène avec lui, à la rescousse, un froid glacial et des hordes nuageuses filant dans la tourmente.

Le sommet du mont Ventoux

3

DE LA VALLÉE DE LA NESQUE À APT

Le plateau de Vaucluse

Bien aligné, prenant ses marques entre Ventoux et Lubéron, le plateau de Vaucluse, ce vaste anticlinal de roches calcaires, ne prétend point au nom prestigieux de mont. Pourtant, avec ses 800 mètres d'altitude moyenne, il se sait déjà barrière et les rivières, pour s'y aventurer doivent y creuser des gorges profondes. La **Nesque** organise son tracé en baïonnette, empruntant les grandes failles qui ont disloqué le massif. Cette énorme table calcaire possède les caractères propres au relief karstique : dolines tapissées de terre rouge, gouffres suintant des mille et une gouttes infiltrées, grottes sinueuses, artères délaissées d'un réseau hydrographique qui s'enterre et se perd pour réapparaître, plus loin, en sources résurgentes. La garrigue parfaitement adaptée à un sol aride et rocailleux, se mêle aux lambeaux de forêt. Quelle splendeur quand les bourrelets moelleux des lavanderaies frémissent au vent chaud et se perdent dans les lointains mauves !

Dans la nef unique de l'église prieurale de **Saint-Christol**, les colonnes de l'abside, avec leurs chapiteaux fleuris d'acanthe, présentent sur la base de leurs fûts, la figure grimaçante de vilains gnomes qui ricanent.

À **Méthamis**, un tronçon du mur de la peste, construit en 1720 pour éviter la propagation de l'épidémie, a été restauré et tiré de l'oubli.

Près du village du **Beaucet**, l'ermitage de Saint-Gens reçoit en mai, la procession des pèlerins agriculteurs venus prier leur saint patron de les préserver de la terrible sécheresse.

Saint-Christol, l'église prieurale : base de colonne

Les gorges de la Nesque

Méthamis, le mur de la peste : un poste de garde

Venasque

 1 L'église Notre-Dame, la porte du tabernacle

Pernes-les-Fontaines

2 La Croix-Couverte

3 La fontaine du Cormoran

4 La tour Ferrande

5 La tour Ferrande, fresque de saint Christophe

6 La tour Ferrande, fresque d'un combat de chevaliers

Venasque et Pernes-les-Fontaines

Donner son nom au comtat Venaissin n'est pas la seule gloire du village de **Venasque**. Bien en prise sur son piton escarpé, Venasque domine l'antique chemin qui traverse le plateau de Vaucluse. Quand la pente devient trop raide, les rues se métamorphosent et adoptent le profil syncopé d'un escalier qui grimpe jusqu'au bord du ravin, tout près de l'église Notre-Dame. Depuis sa consécration, au XIIe siècle, cette dernière a subi bien des transformations. Sur son tabernacle doré, le Christ partage le pain avec ses disciples d'Emmaüs. À côté, se dresse le plus mystérieux édifice de Venasque, son *baptistère*. Son plan simple, en croix grecque et son abside nord ornée de chapiteaux aux sculptures primitives en font un des plus anciens édifices religieux de la Provence. Ses restaurations des XIIe et XIXe siècles, ont peut-être occulté, à tout jamais, une richesse architecturale d'une grande rareté.

C'est par un hasard heureux que la ville de **Pernes-les-Fontaines**, l'antique *Paternae*, s'est installée au-dessus d'une épaisse nappe phréatique, toute gorgée de cette eau qui a fait le renom de la cité. Avec beaucoup d'élégance, elle va la faire surgir, en doux babil et perles de lumière, dans une bonne trentaine de fontaines. La fontaine du Cormoran, construite en 1761 ajoute comme un point d'orgue, la silhouette de son bel oiseau, au décor si parfaitement réussi de la porte Notre-Dame. Un pont de pierre, deux grosses tours à corbeaux et la chapelle Notre-Dame-des-Grâces et c'est le retour feutré vers un passé de dangers et de veilles où le tocsin a sonné maintes fois l'alerte. Routiers, peste, huguenots viennent buter sur la carapace solide du bourg. Ainsi, la cité a su protéger, contre la folie des hommes, les fresques de la tour Ferrande. Peintes dans les années 1280, elles offrent encore un mélange des genres où les portraits de la Vierge et de saint Christophe alternent avec des scènes de la vie de Charles d'Anjou, le frère de Saint Louis.

Venasque, l'église Notre-Dame : le baptistère

Pernes-les-Fontaines : le pont Notre-Dame et le donjon

Carpentras et ses environs

Bornée par les ciselures délicates des Dentelles de Montmirail, la ville de **Carpentras** occupe le centre d'un bassin plein de charme. Les lourds nuages l'évitent et le mistral, brisé sur les crêtes aiguës, ne retrouve son souffle puissant que bien loin, au-delà de la ville. Fondée sur une petite éminence par des populations celtiques qui viennent déjà y commercer, Carpentras ne perdra jamais ses activités de centre de négoce. La ville est devenue, au Moyen Âge, la capitale du comtat Venaissin et accueille papes et cardinaux à la recherche d'un peu de paix et de sérénité, loin des soucis d'Avignon. Avec son ghetto juif très étendu, Carpentras possède une des plus anciennes synagogues de France et le portail Sud de la cathédrale Saint-Siffrein, au décor gothique flamboyant, s'appelle encore la porte Juive. Près des ruines de l'ancienne cathédrale romane qui lance vers le ciel les arcades mutilées de sa coupole, se dressent toujours les vestiges d'un arc de triomphe antique. Arc élevé à la gloire de l'empereur Auguste, au Ier siècle de notre ère, il devait proclamer la victoire des Romains sur les peuples gaulois qui n'ont pas accepté sans lutter, le joug pesant de l'autorité impériale. Deux captifs, les mains liées derrière le dos, méditent tristement sur le sort peu enviable des vaincus. De l'ancien hôtel de ville médiéval, seul le beffroi a résisté à l'incendie de 1713 et le cœur en peloton de fer de son campanile se découpe, en contre-jour, sur le ciel.

Près de Carpentras, le cimetière de **Mazan**, a conservé une soixantaine de sarcophages gallo-romains. La coupole sur trompe de l'église de **Sarrians** date du XIe siècle, époque des premières réussites de cet art roman promis à un si bel avenir. Près de **Beaumes-de-Venise**, la chapelle Notre-Dame-d'Aubune est un édifice surmonté d'un clocher roman carré, percé de baies simples où s'accrochent, en ribambelles, feuillages et monstres grimaçants.

Carpentras : le beffroi

Mazan, sarcophages gallo-romains

Sarrians, l'église : coupole sur trompe du XIe siècle

L'Isle-sur-la-Sorgue

Embrassée par les multiples bras de la Sorgue qui lui donnent un décor vénitien, L'Isle-sur-la-Sorgue a su jouer la carte de l'eau. Les roues à palettes moussues s'égrènent le long des biefs aux eaux sombres et actionnaient autrefois, moulins, pressoirs, foulons et pilons. L'ancienne collégiale Notre-Dame-des-Anges du XVIIᵉ siècle, avec sa façade classique cache bien son cœur en perle baroque et, en particulier, cette grande gloire en bois doré où voletent les figures gracieuses des anges autour de la Vierge couronnée.

Tout près de là, au **Thor,** les eaux calmes de la Sorgue reflètent un véritable paysage de rêve, un pont aux arches courtes et la silhouette tranquille de l'église Notre-Dame-du-Lac dont l'architecture rigoureuse, fondée sur l'élévation régulière et pyramidale de son clocher octogonal, en fait un des plus beaux exemples de l'art roman provençal.

La grotte de Thouzon

À trois kilomètres au nord du village du Thor, la grotte de Thouzon, découverte en 1902, dans une ancienne carrière, au pied de la butte-témoin d'un massif calcaire du crétacé, résultent de l'érosion particulièrement active d'une rivière souterraine. L'infiltration des eaux de ruissellement y suspend les gerbes foisonnantes des roches fistuleuses longilignes et dorées. Ces concrétions vermiculaires sont des colonnettes serrées, qui dardent vers le sol, leur forêt d'aiguilles d'une grande densité. Les différentes nuances de la calcite qui joue avec la lumière habillent la grotte des tons les plus chauds. Mais les eaux, autrefois actives et ruisselantes ont laissé bien d'autres chefs-d'œuvre, draperies rougeoyantes et gours bourrelés d'ocre laiteux.

La grotte de Thouzon

Fontaine-de-Vaucluse

C'est la référence. Elle a donné au monde de l'hydrologie son nom fontaine vauclusienne pour définir le mécanisme complexe d'une source résurgente. L'eau remonte des profondeurs insondables d'un gouffre au pied de la falaise et chahute, en cascade bouillonnante, sur un chaos de roches. Si les Romains sont venus là adorer cette divinité capricieuse, saint Véran, au VIᵉ siècle, se sent investi de la difficile tâche qui consiste à métamorphoser ce culte païen en une authentique adoration de la Vierge. La petite église Saint-Véran, du XIᵉ siècle, a été bâtie sur l'emplacement du très ancien prieuré attesté déjà au Xᵉ siècle, protégeant le tombeau et les reliques du saint. Guidé par la grâce divine il aurait débarrassé la région d'un étrange monstre, moitié dragon, moitié serpent, en tout cas bête féroce et maléfique, appelée le Coulobre. Mais ne doit-on pas voir dans cette figure de légende, la repré-

« Le bruit de la chère fontaine... »

La vallée fermée de la fontaine de Vaucluse, cette *vallis clausa*, les Romains l'avaient déjà bien repérée et utilisée, comme en témoigne le petit canal latéral qui court le long du bief. Mais c'est Pétrarque, le poète italien, ami des papes en Avignon qui, découvrant la fontaine, va bientôt y chanter son amour, si fou et si sage, pour la belle Laure de Noves. De ce premier regard sur le visage aimé, un certain mois d'avril 1327, jusqu'à sa mort, il portera en lui cette passion qui lui fait composer son *Canzoniere*, trois cent soixante-sept poèmes de son pathétique chant d'amour. Il finit sa vie en Italie, fuyant les affreux souvenirs de cette peste en Avignon qui, en 1348 lui a ravi celle qu'il chérissait. Mais jamais il ne parviendra à oublier « le bruit de sa chère fontaine ».

Fontaine-de-Vaucluse : fontaine gallo-romaine

Fontaine-de-Vaucluse : colonne de Pétrarque

sentation imagée et concrète d'un paganisme qui, au nom d'un christianisme de plus en plus triomphant, devait être exterminé comme une bête malfaisante ? Une corniche à modillons cerne la haute muraille de l'église. Sur chaque modillon le sculpteur a mêlé les masques d'hommes à des têtes d'animaux aussi exotiques que le lion mais parfois, aussi communs que le bœuf, la chauve-souris ou le renard. L'ermite Gens, en retraite près du village du Beaucet, délivra la région d'un fléau particulièrement redouté. Une louve terrorisait les villageois et saint Gens, par l'extrême bonté divine, réussit à la capturer et à la métamorphoser en animal inoffensif. Il put enfin, comble de la soumission, l'atteler au même joug que le bœuf. Les modillons sculptés à l'effigie du bœuf et du loup rappellent ce miracle. Le château dressé au front de la falaise devait protéger ce lieu de pèlerinage.

Au bas de la ville, la colonne de Pétrarque nous parle encore de l'amour du poète pour Laure, sa dame.

Fontaine-de-Vaucluse : le site et le château

Fontaine-de-Vaucluse, l'église Saint-Véran : les modillons

Moulins et grottes

C'est au xve siècle que les eaux claires et abondantes de la Sorgue vont actionner, dans un actif bavardage, les grandes roues des moulins à papier. Elles devaient broyer, fouler puis mêler, les chiffons blancs, le coton, le lin et le chanvre pour en faire une pâte épaisse qui devenait papier. Depuis 1981, le moulin Vallis Clausa a retrouvé les gestes délicats des papetiers d'antan et fabrique « à la main », conformément aux méthodes du xve siècle, les feuilles épaisses et nobles où s'incrustent graminées et pétales et où l'enlumineur trace les signes parfaits d'une calligraphie pleine de volupté. Une source vauclusienne aussi exceptionnelle que la fontaine de Vaucluse, ne pouvait laisser indifférent les spéléologues, géologues et explorateurs qui rendent hommage à l'un des leurs, Norbert Casteret, en reconstituant le décor étrange et merveilleux de son Monde Souterrain. Norbert Casteret a

exploré, au cours de sa longue carrière de spéléologue, plus de deux mille grottes et gouffres. Il a osé emprunter, et ainsi a pu révéler au public, les cheminements compliqués qui mènent au cœur du gouffre de la Pierre-Saint-Martin. Intrigué par le mystère qui planait sur les origines réelles de la Garonne, il en détermina, avec certitude, la source dans le massif de la Maladeta. On ne pouvait laisser dormir la masse des échantillons prélevés par Norbert Casteret, au cours de ses expéditions. Dans cet espace voué à la connaissance des techniques de la spéléologie, près de quatre cents cristallisations calcaires enrichissent les reconstitutions très réussies de sites enfouis, souvent trop difficilement accessibles. Une documentation abondante et didactique présente les pistes d'investigation et les résultats confirmés des hypothèses émises pour tenter de percer le mystère des sources de la Sorgue.

Moulin Vallis Clausa : les piles à maillet

Moulin Vallis Clausa : le séchage du papier

Moulin Vallis Clausa : la fabrication de la pâte à papier

Le Monde Souterrain de N. Casteret : fresques rupestres

153

Gordes

L'épanchement tranquille des maisons aux façades claires de la petite ville de Gordes accroche la lumière provençale et fait chanter les nuances chaudes de ses ocres, sur le bleu soutenu du ciel. L'église Saint-Firmin, trapue et coiffée de son minuscule campanile en fer forgé, couronne le sommet de la butte. Le château des Agoult-Simiane, reconstruit à l'époque de la Renaissance, a la forme simple d'un long quadrilatère flanqué de deux grosses tours circulaires du côté nord et d'une façade à échauguettes et fenêtres à meneaux du côté sud. À l'intérieur, une cheminée monumentale englobe les deux portes latérales qui la jouxtent et nous offre encore l'exubérance d'un décor très fouillé de pilastres et de guirlandes fleuries. L'escalier, application géniale de la stéréotomie, cet art de la taille et de la coupe des matériaux de construction nobles comme le bois ou la pierre, mène au musée Vasarely.

Gordes, le château : l'escalier

Vasarely

Lorsque Victor Vasarely s'installe en France, en 1930, il a déjà de solides références.
Il a étudié, à Budapest, les principes architecturaux très novateurs du Bauhaus de Budapest et se destine à une carrière de graphiste. Le trait, forme géométrique de base, combiné et répété en projection orthogonale et la couleur, définie dans une nuance, franche et vive, vont s'ordonner autour d'une déformation, imperceptible dans le détail mais évidente sur l'ensemble du tableau, et, ainsi, nous offrir ces volumes virtuels qui se dilatent en trois dimensions sur la surface rigoureusement plane de la toile. Et le miracle se poursuit lorsque, d'un mouvement lent, le regard joue, jusqu'au vertige, l'illusion d'optique qui renverse les formes, brouille les directions et retourne les volumes. Peintre de l'abstraction géométrique, il est l'une des figures les plus représentatives de l'art cinétique virtuel. Dépassant les modes éphémères et défiant le temps, il nous lègue en toute simplicité ses merveilles de gaieté pure.

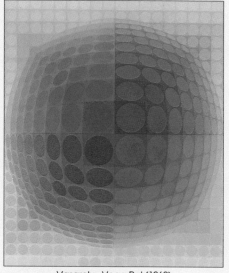

Vasarely : Vega Pal (1969)

À quelques kilomètres de Gordes, le **musée du Vitrail** de Frédérique Duran, présente dans un cadre résolument moderne, les œuvres percutantes de ce maître verrier de talent et retrace les origines lointaines de cet art qui combine avec jubilation, formes, couleurs et spectre lumineux.

Tout près de là, le moulin des Bouillons, ancienne demeure du XVIᵉ siècle, abrite le **musée des Moulins à huile**. L'olive doit être enfermée dans des sacs de toile, les *cabas*, et déposée sous les mâchoires puissantes des moulins à foulons, pour que soit extrait le nectar parfumé et soyeux de son huile. Entre autres pièces, un pressoir gallo-romain est impressionnant de force tranquille.

Au cœur d'un paysage où la roche prédomine, **Saint-Pantaléon** se groupe autour de sa chapelle romane du XIIᵉ siècle. L'édifice primitif, remontant au Vᵉ siècle, a été remanié et les ajouts successifs en ont un peu altéré le plan. Une série de sarcophages, creusés à même le roc, fait de ces lieux, une grande nécropole rupestre.

Le village des Bories

Non loin de Gordes, un hameau mystérieux nous offre le front têtu de ses maisons de pierre et les mille et une interrogations qu'elles ne manquent pas de faire naître en nous. La roche est prodigue et laisse les hommes la décaper en dalles épaisses et à peine équarries. Les lauzes sont devenues, géniale simplification, à la fois les murs, la charpente et la toiture. Posées une à une, selon la technique ancestrale de la pierre sèche, en léger retrait vers l'intérieur de l'édifice, elles se voûtent en douceur jusqu'à la dalle finale qui couronne le tout. Bergeries, granges ou fermes à habitat permanent ? Il est bien difficile de trancher mais l'absence de cimetière et de lieu de culte n'en fait pas un village à part entière même si un four à pain se dresse au milieu des maisons.

Le musée du Vitrail

Le musée des Moulins à huile : un pressoir

L'abbaye de Sénanque

Si la perfection est une qualité surnaturelle, l'abbaye de Sénanque tient donc un peu du divin. Que des moines, aussi austères et exigeants que ceux qui obéissent à la sévère règle de Cîteaux, aient pu concevoir ce lieu ne tient finalement pas du paradoxe. Sénanque est belle car elle est pure. L'essence de sa beauté se concentre dans ce retour vers l'austère grandeur, la solitude et le silence, l'harmonie et la sérénité que prônent les Cisterciens. La vallée de la Sénancole, vibrante de chaleur et de la stridence continue des cigales, étroite solitude cernée par les versants abrupts où frise la garrigue, était un site idéal. Dès 1148, les travaux commencent. Les moines devaient édifier là, émergeant de la houle mauve tendre des rouleaux de lavande, le plus bel hommage à l'harmonie et à la lumière. Avec les pierres claires et régulières de ses murs et la légère rugosité de ses toitures gris perle, elle capte les reflets du soleil et joue avec les ombres. L'église a le plan le plus simple que l'on puisse imaginer, une nef ample, aux lignes aériennes, à la voûte en berceau, éclatante de blancheur, et un transept perpendiculaire, traçant dans l'espace, la croix latine, le symbole de la foi. Dès lors, la perfection architecturale dénie toute nécessité d'une décoration en surcharge. Point de statues, de volutes, de guirlandes, de vitraux flamboyants, de flèches et de pinacles, la pierre nue, dépouillée pousse au recueillement et à la communion intime avec soi-même et avec Dieu. La seule décoration tolérée fleurit sur les chapiteaux torsadés de palmettes du cloître, où grimace un monstre, diable ou tarasque, symbole de la tentation et du mal. La salle capitulaire, le chauffoir où les moines habiles calligraphiaient de matines à vêpres, le réfectoire silencieux et les bâtiments des convers, ces religieux d'origine roturière, entourent le cloître. Mais, à partir du XIVe siècle, Sénanque périclite et les chants profonds des moines s'y sont définitivement tus.

Sénanque : le cloître

Sénanque : la tarasque

Roussillon

Roussillon est de ces villages qui cumulent, avec bonheur, un site et un décor exceptionnels. Sur son piton rocheux, il a badigeonné ses vieilles maisons des couleurs chaudes et lumineuses qui sont les principes particuliers de la nature de ses sols. Les collines d'ocre moutonnent aux alentours et Roussillon, pour mieux les admirer, s'est juché au point le plus élevé. Ses rues s'achèvent en longs degrés qui mordent la pente et accèdent aux plates-formes aménagées en points de vue. Sur la ronde de brumes claires qui nimbent le mont Ventoux et le Lubéron, se détachent, ourlées par le vert sombre des chênes et des pins, les falaises aux couleurs de feu, le val des Fées, les falaises de Sang, la chaussée des Géants… À vingt kilomètres à l'ouest, à **Rustrel**, l'érosion différentielle a pareillement taillardé la roche tendre en un très bien nommé Colorado provençal.

Rouge et or

Seule la nature peut se permettre ces extravagances de rouges et d'or. L'ocre est une roche siliceuse de la famille des sables et des grès. Avec une texture à la fois solide et tendre, compacte et friable, elle est la proie idéale d'une érosion qui sculpte, en virtuose, ces cheminées des fées coiffées de leur caillou protecteur. Et comme si la forme ne suffisait pas, voilà que la couleur s'allie à elle pour parfaire le chef-d'œuvre. L'ocre contient, en petite proportion, des oxydes de fer. Par réaction, et mélange, les combinaisons sont infinies et la gamme des nuances illimitée. Blanc doré, jaune safran, sanguine ou pourpre, les falaises resplendissent et chaque paroi, découpée en fin paravent de roche, se consume en reflets amarante sous la clarté changeante du soleil provençal.

Roussillon : les aiguilles du val des Fées

Apt et ses environs

De l'antique colonie *Apta Julia,* on connaît l'emplacement du théâtre encore visible dans les sous-sols du musée ainsi que les vestiges lapidaires multiples qui y sont exposés. Mais la ville d'Apt a souvent reçu la visite de ces peuples barbares qui ne laissent, après leur départ, que du sang et des ruines. Et pourtant, la vie pouvait être douce dans ce vallon abrité où poussaient, déjà, melons, pastèques et bigarreaux. Au XIVᵉ siècle, les papes d'Avignon, parfois enclins à oublier que la gourmandise est un bien vilain péché, appréciaient beaucoup la petite friandise locale, le fruit confit. Avec opportunité, les habitants d'Apt ont su conserver et transmettre ce savoir-faire ancestral qui consiste à subtiliser l'eau du fruit pour la remplacer par du sucre, élément de conservation. La gâterie est devenue célèbre et Apt se dit, avec fierté, la capitale mondiale du fruit confit.

Une fine toile de lin brodée, dénommée bien abusivement le suaire de sainte Anne, fait partie du trésor de la cathédrale, restaurée en 1930 par les Gobelins elle fut tissée à la fin du XIᵉ siècle en Basse Égypte à Damiette longtemps considérée comme un étendard sarrasin pris à l'ennemi à l'occasion de la première croisade il s'agit en fait d'une pièce de vêtement de cérémonie. Les cryptes qui s'enfoncent dans le sous-sol devaient abriter, en toute sécurité, les reliques de sainte Anne, saint Auspice et saint Castor que les pèlerins, en quête de miracle ou de pardon, venaient prier assidûment.

Le **pont Julien**, ouvrage d'art de la *via Domitia,* date du Iᵉʳ siècle avant J.-C. Avec ses trois arches percées, il a résisté aux crues du Calavon qui, par un phénomène de toponymie fluctuante, change de nom et devient le Coulon.

Saint-Saturnin-lès-Apt se bardait autrefois de défenses, trois enceintes successives le protégeaient. Il en reste des vestiges dominés par les ruines de son château et la silhouette fragile de sa chapelle castrale romane Saint-Saturnin.

Le pont Julien

① Grambois : l'église Notre-Dame-de-Beauvoir

② La Tour-d'Aigues : le portail du château

③ La Bastide-des-Jourdans : une chapelle

④ Ansouis : l'église paroissiale Saint-Martin

LE LUBÉRON ET LA DURANCE

Le Lubéron

La longue barrière calcaire qui s'incurve doucement des portes de Cavaillon jusqu'à celles de Manosque s'arroge le droit de porter le nom de montagne. En effet, le Lubéron, scindé en deux parts inégales par la gigantesque et très secrète faille de Lourmarin, culmine en dômes amples à 1 125 mètres au Mourre Nègre, du côté est, alors que les crêtes aiguës et déchiquetées du petit Lubéron, à l'ouest, n'atteignent pas 800 mètres d'altitude. Mais là n'est pas le seul paradoxe de cette montagne. L'opposition de ses pentes est si nette qu'elle ordonne, de chaque côté de la ligne de crête, deux paysages parfaitement distincts. Le versant nord, abrupt, est constellé de chicots rocheux où s'accrochent les villages, le versant sud, au contraire, descend mourir doucement, sous le manteau régulier de ses vergers, jusqu'aux rives de la Durance.

Les villages du pays d'Aigues, **La Bastide-des-Jourdans**, autrefois serrée dans ses courtines, auprès de sa citadelle, **Grambois** et son église Notre-Dame-de-Beauvoir qui abrite un fresque du XIIe siècle représentant Saint-Christophe, **La Tour-d'Aigues**, dominée par les ruines de son château Renaissance, et **Ansouis,** blotti sous les murs sévères de son château au portail ouvert en arc monumental, offrent aux pentes douces du Lubéron méridional, une grande unité architecturale.

Mais l'arrivée, dans le Lubéron au cours du XIIe siècle, des vaudois, ces chrétiens hérétiques, développe dans le pays un climat d'exaltation re-

Ansouis : le château

ligieuse favorable à l'épanouissement d'une violence non contenue. Dans ce contexte, les seigneurs d'Oppède, vont accomplir la triste besogne d'extermination des adeptes de cette secte. La découverte, en 1970, d'un mausolée à côté d'une nécropole antique confirme l'origine gallo-romaine de **Cucuron.** Au Moyen Âge, les villageois se réfugièrent dans le *castrum* et en consolidèrent les remparts. Quant au tympan de l'église Notre-Dame-de-Beaulieu, décoré en lignes géométriques, il fait preuve de beaucoup d'originalité.

Lourmarin surveille, du haut de son grand château, sa fameuse combe, résultat spectaculaire d'une gigantesque fracture interne des couches profondes du sol. L'escalier à vis, coiffé d'une coupole légère, et les cheminées monumentales font du château de Lourmarin un exemple type de ces demeures gracieuses édifiées à l'époque de la Renaissance française. Albert Camus, qui aimait les ciels de lumière de la vallée de la Durance, est enterré là. **Le fort de Buoux**, enchevêtré dans les mille

Cucuron et Notre-Dame-de-Beaulieu

Lourmarin : le château

Les vaudois

L'origine du mot est obscure. Un chef peu connu, un certain Vaudes ou Valdes ou Valdo, Pierre de son prénom, certainement marchand à Lyon, a fondé, ou dirigé, ou impulsé – trop d'incertitudes demeurent pour être catégorique – vers 1170, Valdo rassemble autour de lui, les « pauvres hommes de Lyon », vite appelée, par un raccourci mal élucidé, les vaudois. Leur doctrine est simple. Ils sont chrétiens mais ils prônent et, c'est là où le bât blesse, un retour à la pauvreté, à la connaissance des Saintes Écritures par la lecture directe et le prêche. S'attaquer ouvertement à la hiérarchie catholique, considérée comme usurpatrice du droit d'évangéliser, d'instruire et de donner les sacrements, ne peut être toléré d'autant plus que la secte récuse aussi le culte des saints et la valeur de la messe. Proclamés hérétiques au concile du Latran en 1179, ils essaiment en Italie et en Provence. C'est en 1545 que l'église catholique, excédée de s'épuiser à lutter contre cette doctrine qui la mine, décide, avec l'aide de Dieu et du parlement d'Aix, la destruction par le feu et le sang des villages vaudois du Lubéron. Mérindol bien sûr, mais aussi Lacoste, Lourmarin... en tout une vingtaine de hameaux qui ont vu arriver les troupes tristement célèbres du baron d'Oppède, président du parlement d'Aix. En cinq jours de massacres, elles sont venues venger le sac de l'abbaye de Sénanque. Trois mille vaudois exterminés, six cents galériens de plus pour la flotte royale qui manque cruellement de bras, villages incendiés et parfois rayés définitivement de la carte, voilà le sinistre bilan du fanatisme et de l'intolérance. Le Lubéron, exsangue, a du mal à réagir et ces violences prémonitoires annoncent déjà les errements sanglants des guerres de Religion.

circonvolutions de ses remparts, devait pouvoir résister aux assauts les plus rudes et ses silos à grains, creusés dans le roc, rappellent qu'il ne faisait pas bon se laisser enfermer, sans provisions, là-haut, entre ciel et terre.

Bonnieux la superbe, avec ses hôtels particuliers comme celui de Rouville qui abrite aujourd'hui la mairie, procède de la même origine. Un oppidum, sur lequel on a juché une église à nef romane et à abside gothique a servi de point d'ancrage pour la population qui, peu à peu, déborde sur les pentes de la colline. À ses pieds a été bâtie, au cours du XIXe siècle, une nouvelle église qui abrite quatre tableaux peints par des primitifs du XVe siècle, déclinant le thème si classique de la Passion.

Lacoste, avec son grand château où vécut le fameux marquis de Sade, **Ménerbes** en équilibre sur son rocher abrupt et surtout **Oppède-le-Vieux**, avec les imposantes ruines de sa citadelle et sa belle église Notre-Dame du XVIe siècle, complètent cette série impressionnante de villages perchés.

Bonnieux

Ménerbes

Bonnieux, l'église : la Flagellation (peintre primitif)

Lacoste

1 Caumont-sur-Durance : la Chartreuse de Bonpas

2 Caumont-sur-Durance : la chapelle Saint-Symphorien

3 Noves : l'église

4 Orgon : l'église

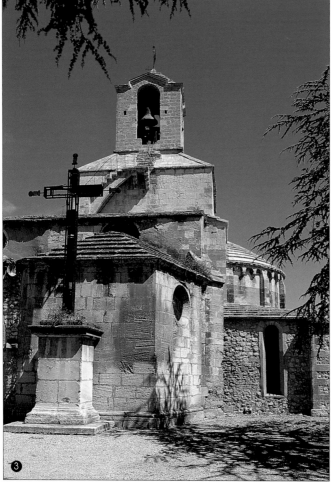

En remontant la Durance

Caumont-sur-Durance et sa chapelle Saint-Symphorien occupent la rive droite de la Durance où s'élève, gardienne tranquille d'un lieu de passage ancestral, la **Chartreuse de Bonpas**. En effet, les gués étaient rares et tombaient souvent sous le contrôle de brigands, sans foi ni loi, qui rançonnaient les voyageurs. Les frères pontifes, moines artisans spécialisés dans la construction des ponts, ont bâti un ouvrage solide, capable de procurer aux bonnes âmes, un bon passage, un bon pas. Les hospitaliers de Saint-Jean, puis les chartreux s'installent alors dans le monastère voisin.

Noves qui a vu vivre Laure, le bel amour de Pétrarque, commandait un des rares gués qui coupaient autrefois la Durance. Avec son chevet à arcatures, l'église Saint-Baudile, près des remparts, s'intégrait au système de défense de la cité. L'église de **Saint-Andiol,** tout près de Cavaillon, a conservé son aspect de citadelle avec ses créneaux et ses contreforts puissants et protège ses boiseries dorées à l'or fin, du XVIIIe siècle.

Orgon était autrefois corsetée de remparts et la vieille ville avec ses ruelles étroites et ses maisons cossues, bénéficiait de l'afflux des pèlerins vers Notre-Dame-de-Beauregard érigée en équilibre, là-haut, au sommet de la falaise. Mais, Notre-Dame-de-l'Assomption l'église paroissiale d'Orgon, du XIVe siècle, n'a rien à lui envier.

Au pied du Lubéron, la très ancienne cité des Cavares, *Cabellio*, se nichait frileusement au sommet des falaises de la colline Saint-Jacques. Avec la conquête romaine et la paix retrouvée, **Cavaillon** s'étoffe et trouve plus plaisant de s'installer au bas du rocher, sur les franges de cette plaine qui va faire sa richesse. Sa position sur les rives de la Durance et sur la *via Domitia* lui offre toutes les chances d'un commerce actif et prospère. Un arc romain frêle et délicat, orné de rinceaux de feuillages où volettent oiseaux et papillons, a été restauré

Saint-Andiol, l'église : boiseries

Cavaillon : l'arc romain

au XIXᵉ siècle. Cavaillon doit obéir, pendant tout le Moyen Âge, à son évêque, seigneur temporel et spirituel du lieu. La chapelle Saint-Jacques, perchée sur la falaise auprès d'un ermitage plein de fraîcheur, et la cathédrale Saint-Véran, avec son abside pentagonale aux arêtes cachées sous de fines colonnes à cannelures et à feuilles d'acanthe, témoignent de l'importance religieuse de la cité. C'est la sensibilité exacerbée des artistes des XVIᵉ et XVIIᵉ siècles qui les pousse à utiliser tous les canons de l'art baroque, pour décorer, avec une profusion de détails qui frise la surcharge, l'intérieur de la cathédrale. Dans le cloître attenant, un cadran solaire, où resplendit la tête très païenne du bon vieux Cronos, le dieu du temps, incite les pauvres pécheurs à prier … la dernière heure est proche ! Une importante communauté juive, a fait construire au XVIIIᵉ siècle, une synagogue, chef-d'œuvre d'harmonie et de grâce, avec sa balustrade en fer forgé et son décor intérieur particulièrement soigné.

Les gorges étroites du **Régalon**, si secrètes, si protégées ont attiré les populations du néolithique qui trouvèrent là un refuge, même si le torrent savait déjà se gonfler soudain de toutes les eaux des violents orages méditerranéens. C'est le sculpteur André Estienne qui fit don à sa ville natale, **Cadenet**, de la célèbre statue du *Tambour d'Arcole*. Dans la lutte sévère que les Français révolutionnaires avaient engagée contre l'Europe entière, il fallait des actes de courage hors du commun, pour séduire la victoire. En 1796 à Arcole, un jeune tambour traversa à la nage, l'Alpone, cette rivière vénitienne où allaient s'affronter Français et Autrichiens. Ces derniers, surpris par le roulement de la charge battue derrière eux par l'enfant, se crurent encerclés et sonnèrent précipitamment la retraite !

L'église paroissiale du **Puy-Sainte-Réparade,** du XVIIᵉ siècle, possède un retable baroque du sculpteur aixois Claude Routier. Près des ruines du château médiéval, se niche la chapelle Sainte-Réparade, du XIᵉ siècle.

Les gorges du Régalon

Cadenet : le Tambour d'Arcole

L'abbaye de Silvacane

Même si l'abbaye de Silvacane semble paisiblement assoupie sur les bords de la Durance, ce repos actuel ne doit pas faire oublier ses drames et ses malheurs passés. Les rives de la Durance sont, au Moyen Âge, des franges vagues où les eaux des nappes phréatiques affleurent, miroitant en marécages au milieu d'une *silva canna*, une forêt de roseaux. Sans être isolé, le lieu est particulièrement insalubre et ingrat, et les hommes n'aiment guère y séjourner. C'est ce site qui va convenir à ces chrétiens à la recherche d'une vie de travail, d'ascétisme et de solitude. Au milieu du XIe siècle, une poignée de moines de l'abbaye Saint-Victor de Marseille décident de faire entrer leur minuscule fondation dans l'ordre florissant, mais exigeant et sévère, des Cisterciens. Grande chance et destinée ouverte sur un bel avenir puisque cet acte pousse les comtes et grands seigneurs de Provence à doter l'abbaye de terres et de bénéfices divers. Les marécages sont bonifiés et l'abbaye resplendit. Mais la cupidité et l'envie, défauts bien humains, vont opposer, à la fin du XIIIe siècle, les moines de Montmajour à ceux de Silvacane dans une lutte féroce où l'on en vint, semble-t-il, aux mains. Et puis, vont déferler sur l'abbaye, les bandes pillardes du seigneur d'Aubignan et la fantastique vague de froid de l'hiver 1364 qui brûle, jusqu'au cœur, ceps de vigne et oliviers. C'est la fin d'un monde et Silvacane sombre. Il nous reste ce site prestigieux avec son église coiffée d'un petit clocher décapité. Fenêtres et oculus, taillés en pochoir sur la lumière bleue dorée du ciel provençal, illuminent et font chanter les lignes pures des hautes voûtes de la nef. Son cloître est entouré par les bâtiments conventuels : *l'armarium* (la bibliothèque), la salle capitulaire voûtée, le parloir, l'unique ouverture vers le monde, le chauffoir, la seule pièce chauffée, le réfectoire, plus riant, plus orné et, à l'étage, la salle du dortoir des moines.

Silvacane : le cloître

4

LA PROVENCE
DE PAGNOL

LE PAYS D'AIX

AUTOUR DE LA
SAINTE-BAUME

MARSEILLE ET
SES CÔTES

1

LE PAYS D'AIX

Entre Lubéron et Salon

Dans une région bordée, au nord, par le canal E.D.F. qui suit ce qu'était le cours de la Durance, il y a un million d'années, lorsqu'elle se jetait directement dans la mer, Rognes et Lambesc ont souffert du séisme de 1909. **Rognes** a conservé, dans son église, l'ensemble de ses retables. À partir du maître-autel central, du XVIIᵉ siècle, s'alignent de chaque côté de la nef, les autels consacrés aux saints provençaux. À **Lambesc**, principauté du roi René, l'église perdit sa flèche lors du séisme, mais reste de dimensions respectables.

Au creux des frondaisons du domaine de **Château-Bas,** les ruines du temple romain du Vernègues épaulent la chapelle Saint-Césaire.

Rognes : détail d'un retable

La Barben

Ancienne demeure du roi René et de la famille de Forbin, le château de La Barben s'entoure de jardins à la française, dessinés par Le Nôtre. Constamment embelli, il est devenu cette demeure où la richesse du décor n'a d'égale que sa beauté. Les cuirs de Cordoue qui tapissent la grande salle, les plafonds et le boudoir de Pauline Borghèse en témoignent encore. Les hippopotames débonnaires et placides du parc zoologique de La Barben sont devenus le symbole de la faune présentée dans ce parc qui accueille quelque deux cents espèces différentes. L'ancienne bergerie du château abrite un vivarium, un aquarium et une oisellerie.

Le château de La Barben : la cuisine

Le parc zoologique de La Barben : rhinocéros

Salon-de-Provence

Des quatre coins de l'horizon, Salon a bien su tirer profit de sa situation géographique. Au nord, la vallée de la Durance lui ouvre les portes d'Avignon. Au sud, c'est l'étang de Berre qui lui fait regarder vers la Méditerranée. Vers le sud-est, elle se sent toute proche d'Aix-en-Provence, mais c'est vers l'ouest, qu'elle a trouvé les espaces nécessaires à son élan. Sur les bords de la Crau, elle a très vite réalisé que ce désert de galets ronds pouvait lui offrir prestige et fortune. Il ne manquait que l'eau pour que la plaine aride devienne une prairie où ondulent les foins. Adam de Craponne, au XVIe siècle, ordonne le creusement et la mise en eau d'un canal qui doit fertiliser la Crau. Oliviers et prairies sont, depuis lors, le décor champêtre de Salon-de-Provence.

Au pied de la **porte de l'Horloge** coiffée de son campanile, la **fontaine** Moussue laisse dégoutter ses perles d'eau qui chuchotent en secret. Tout près, la **maison de Nostradamus**, le célèbre astrologue, a été transformée en musée. **L'église Saint-Michel** est romane. Un de ses deux clochers à arcades, du XIIIe siècle, lui confère une grande légèreté. Son tympan sculpté est remarquable, la figure très archaïque de l'ange saint Michel s'entoure de gros serpents aux corps souples, au-dessus d'un agneau pascal timide et étonné, dans un décor très stylisé de feuillages et de fleurs. De la place de l'ancienne Halle, un escalier monte jusqu'au **château de l'Empéri**. Cette demeure, bâtie en surplomb sur le rocher du Puech, domine la ville. Possession des archevêques d'Arles, le château fut transformé en caserne au XIXe siècle et abrite, le musée de l'Empéri, musée d'art et d'histoire militaires où sont exposées les collections de Raoul et Jean Brunon. La **collégiale Saint-Laurent** est un bel édifice de l'art gothique provençal. Une épitaphe récente rend un dernier hommage à Nostradamus qui, par ses prophéties, a su captiver ses lecteurs jusqu'à cette extrême fin du XXe siècle.

Il s'appelait Michel de Notre-Dame

Nostradamus... Il semble plus sérieux, disons plus crédible, à Michel de Nostre-Dame, de latiniser son nom pour publier, en 1555, son recueil de prophéties, les *Centuries astrologiques*. Michel de Notre-Dame est né à Saint-Rémy-de-Provence et ne vient vivre à Salon qu'après son mariage en 1547. Médecin, ses connaissances médicales sont celles de son temps et comme on le sait, souvent peu efficaces. Aussi cherche-t-il, dans l'astrologie et la prédiction astrale, des remèdes, des recettes et des miracles à venir. Sa science mystérieuse, occulte, souvent qualifiée de surnaturelle voire de diabolique, attire bon nombre de ses contemporains et, parmi les plus illustres, Catherine de Médicis et son fils Charles IX se rendent à Salon pour consulter le grand mage ! Le succès est donc déjà là quand il décide de publier ses fameuses *Centuries*, recueil de quatrains énigmatiques et sibyllins où, comble de l'habileté, chacun peut y trouver ce qu'il cherche. Mais peut-on y lire, *a priori*, une histoire annoncée de l'humanité, si ce langage ésotérique et abscons, ne s'éclaire qu'à travers l'analyse, *a posteriori*, d'événements que l'on veut, à tout prix, faire coller au texte ? Quoi qu'il en soit, prévue ou impromptue, la mort avait rendez-vous avec le mage le 2 juillet 1566.

Salon : épitaphe de Nostradamus

Aix-en-Provence

Rarement une ville a su, comme Aix-en-Provence, concilier, avec un tel bonheur, la sauvegarde des vestiges d'un autre temps, où gloire et raffinement allaient de pair, avec les exigences d'un urbanisme moderne et fonctionnel. Ponctuée de fontaines, la ville s'épanouit en fleur, avec un cœur doré, gonflé des souvenirs d'un passé qui palpite sur chacune de ses pierres et les pétales grandissants de ses faubourgs devenus banlieues puis périphéries aux franges nébuleuses.

C'est en réalité *Massalia*, Marseille la grecque, qui est à l'origine de la fondation de la superbe *Aquæ Sextiæ*. Nous sommes au IIe siècle avant J.-C. et Rome, alliée de Marseille, vient de conquérir l'Espagne. Les routes terrestres qui relient Rome à la péninsule ibérique sont si peu sûres, depuis la côte ligure jusqu'aux Pyrénées, que le sénat romain n'hésite pas à voler au secours de *Massalia*, menacée elle aussi par les mêmes ennemis. Les Salyens occupent l'arrière-pays du port phocéen, et, depuis leur solide oppidum d'Entremont, jettent, sur la côte toute proche, des regards d'envie. En 125 avant J.-C., les troupes romaines passent les Alpes et, en 124, le proconsul *Sextius Calvinus*, entreprend d'étouffer Entremont, la capitale des Salyens. Et c'est la fin de la résistance acharnée de ce peuple. *Calvinus*, pour frapper définitivement les esprits, fait détruire l'oppidum, avec cette application féroce du vainqueur qui a eu bien trop peur pour laisser la moindre chance à son adversaire malheureux. Aussi, ne reste-t-il plus d'Entremont que des ruines. Calvinus sait bien qu'il faut vite combler ce vide, effacer cet anéantissement par la création d'un pôle urbain qui captera et peut-être assagira les forces vives de la contrée.

Il ne fallait pas se tromper : un site de plaine, les hauteurs sont trop barbares, un carrefour de chemins qui deviendront voies romaines – les fragments de la *via Aurelia* sont encore là pour le prouver – et comme une petite faveur des dieux, des sources chaudes et douces qui vous rendent la santé. Ce sera donc là, les auspices sont favorables, que sera créée *Aquæ Sextiæ*, la ville des eaux et de *Sextius*, comme le dit Strabon.

Mais le *castellum d'Aquæ Sextiæ* n'en avait pas fini avec la violence et quand les tribus guerrières des Cimbres et des Teutons pointent le bout de leur lance à l'horizon, il faut leur opposer une résistance plus efficace que celle qui a conduit *Arausio*, Orange, au désastre. On a dépêché sur place le consul *Marius*, habile et courageux, avec ordre d'arrêter les hordes barbares avant qu'elles ne prennent le chemin de l'Italie. À la tête de cinq légions, il s'installe en Gaule méridionale et attend patiemment un probable affrontement. Alerte ! Les Teutons viennent de franchir la Durance en direction du sud-est. Marius, rusé et fin stratège, les suit à distance et décide soudain d'affronter les terribles Germains. Et si l'on se perd encore en conjectures sur les lieux exacts de la bataille de 102 avant J.-C., il semble que la petite vallée de la Torse, affluent de l'Arc, ait bien résonné des clameurs furieuses du long combat. Plutarque exagère-t-il quand il annonce 100 000 morts parmi les ennemis ? Il est difficile de le savoir mais le souvenir de la victoire romaine reste si vif dans la mémoire collective provençale que, *Vé ! Bonne Mère !* Marius, c'est encore toute la Provence !

Aix-en-Provence accède d'abord au rang de colonie latine et ses habitants jouissent de droits civils reconnus par Rome. Puis, sous Auguste, elle reçoit l'insigne honneur d'entrer dans le cercle très fermé des *civitas* romaines, élevant ses habitants au rang de citoyens de Rome. Trois longs siècles de paix et la ville prospère et embellit. Les vestiges antiques du musée Granet en témoignent. À côté des étranges têtes coupées des trophées d'Entremont, c'est toute la vie tranquille d'une cité romaine qui se lit sur les pièces du musée.

Il faudra attendre ce lointain XIIIe siècle pour que la ville, passée sous le contrôle de Charles d'Anjou, le frère de Saint Louis, devienne cette élégante cité si chère au cœur des comtes de Provence. Et, au XVᵉ siècle, quand le roi René s'installe enfin à Aix-en-Provence, il en fait une des plus belles capitales d'Europe.

Mais après la réunion de la Provence au royaume de France, en 1482, et malgré la présence d'un parlement, Aix-en-Provence n'est plus qu'une ville de province. À la fin du XVIᵉ siècle, Aix-en-Provence, très pointilleuse sur ses droits et ses lois, voit fleurir et prospérer cette classe de magistrats aisés, savants en droit et fins lettrés, qui offrent, à leur cité, ce décor d'hôtels luxueux, de places à fontaine et de vastes allées où se croisent fiacres et carrosses pimpants. Fantasque et truculent, Honoré Gabriel Riqueti, comte de Mirabeau, y joue ses fredaines, séduisant sans remords les innocentes jeunes filles. Ses séjours répétés dans les geôles royales du château d'If ou de Vincennes, loin de l'assagir, l'amènent à méditer sur ce despotisme qu'il veut combattre. La convocation des états généraux du royaume, en 1789, et son élection comme député du tiers état en font une des figures de la Révolution, avec sa force, son courage et ses grandes faiblesses. Le **cours Mirabeau**, sous son tunnel de verdure, avec les hôtels particuliers qui le bordent et les fontaines qui en ponctuent le tracé parfaitement rectiligne, est le cœur battant de la ville. La **fontaine Moussue** laisse jaillir, en filets de perles, son eau tiède et s'entoure des voiles de ses douces vapeurs. Le bon roi René, au bout de l'avenue, présente avec fierté la grappe rebondie de ce raisin muscat qui lui doit son renom. À l'autre extrémité, la **Rotonde** et sa fontaine aux jets puissants, achèvent en point d'orgue, cette artère de vie. Il faut flâner, le nez en l'air, dans l'entrelacs des vieilles ruelles qui doucement ramènent vers la cathédrale Saint-Sauveur. Les **hôtels particuliers** comme celui de Caumont ou de Maynier d'Oppède puisent, dans l'art classique, la sobre élégance de leur façade, tandis que d'autres, comme l'hôtel d'Albertas, se dilatent et cernent une vaste cour devenue place. Cer-

tains, enfin, se parent de l'exubérance, à peine contenue, de leur décor baroque tel l'hôtel d'Agut avec son grand portail à atlantes, inspiré par l'école de Puget.

S'enivrant des parfums distillés au chaud soleil de Provence par son marché aux fleurs, la **tour de l'Horloge** n'a pas oublié sa vieille mission de sauvegarde. Ancien beffroi, elle emprisonne, dans son campanile, la cloche du tocsin et sonne encore les heures et les saisons. **L'hôtel de ville**, tout proche, délimite entre ses hautes façades une splendide tour carrée. Mais il reste la perle, la **cathédrale Saint-Sauveur**, enchâssée dans son quartier aux pierres claires où se faufile la rue Gaston-de-Saporta.

Le bon roi René

René, le fils cadet de Louis II d'Anjou, hérite en 1434 du comté de Provence mais, comme ses illustres prédécesseurs, il se sent irrésistiblement attiré par les dangereux mirages du royaume de Naples et de Sicile qu'il revendique de bon droit. Ce n'est qu'à l'âge de la sagesse, après ses échecs répétés en Campanie, qu'il se décide enfin à regarder sa douce Provence. Et ce qu'il voit l'enchante ! Il s'installe définitivement à Aix-en-Provence. Polyglotte, puisqu'il sait même l'hébreu, savant, puisqu'il connaît l'astrologie et les mathématiques, habile aussi bien à la plume qu'au pinceau, puisqu'il sait calligraphier les élégantes majuscules pleines de lumière des enluminures, il devient le « bon roi René » et la Provence s'enrichit des idées si modernes de son souverain. Propreté et hygiène ne sont pas de vains mots dans sa bonne ville d'Aix-en-Provence et ses vignes de Gardanne lui ont donné cette merveille, le raisin muscat. Avec sa jeune épouse Jeanne, ils entrent alors dans la légende de cet âge d'or où la Provence se voulait un petit paradis, même si les dépenses de la cour alourdissent une fiscalité déjà bien pesante.

Aix-en-Provence :
la cathédrale Saint-Sauveur

1 Le cloître

2 Vantail du portail

3 Le baptistère

4 Un détail du sarcophage de saint Mitre

Le musée des Tapisseries :

5 Scène de la vie de Don Quichotte

Les vantaux de son portail, protégés par de lourds volets, sculptés, au début du XVIe siècle, par Jean Guiramand, mettent en scène les quatre prophètes entourés de douze sibylles. Au risque d'y perdre sa pureté originelle, cette cathédrale a gardé, de chaque époque, un peu de sa beauté : du *cardo* romain qui ressurgit, fosse ouverte sur un passé bien païen, au baptistère mérovingien soutenu, sans fausse honte, par la ronde magique de ses colonnes romaines, à sa nef Saint-Maximin d'époque romane, élégante et sobre, où repose le long sarcophage de saint Mitre, jusqu'à sa nef gothique centrale qui lui donne toute son ampleur. Son triptyque du *Buisson Ardent* a été peint, en 1476, par Nicolas Froment, l'artiste incontesté de cette brillante cour aixoise, et représente, entourant une Vierge à l'Enfant, René et son épouse Jeanne de Laval, les bons souverains. Tous deux sont agenouillés et prient, face à face, sur les deux volets extérieurs du triptyque. Le cloître, du XIIe siècle, n'est pas voûté et sa charpente légère le laisse s'épanouir en fines colonnades.

Des églises, Aix-en-Provence en compte d'autres. **Saint-Jean-de-Malte**, gothique et sévère, avec son haut clocher fendu sur le ciel clair, a servi de sépulture aux comtes de Provence. **L'église de la Madeleine**, derrière sa façade classique, reste toute imprégnée par la grâce juvénile d'une Vierge en marbre, du XVIIIe siècle, si vive et si légère qu'elle semble esquisser, en cachette, un petit pas de danse, et par la splendeur sereine de son triptyque de l'Annonciation du XVe siècle.

Les archevêques d'Aix ont joué, autrefois, un rôle primordial dans le commandement de la ville. La construction de **l'archevêché** débute au milieu du XVIIe siècle et se poursuit jusqu'en 1730. Sa cour rénovée et légèrement transformée accueille les manifestations théâtrales et surtout musicales du festival d'Aix-en-Provence. Le bâtiment abrite aussi le musée des Tapisseries. Les *Grotesques*, l'histoire idéalisée de Don Quichotte, et *les jeux Russiens* ou rustiques, sont les thèmes très divers des tapisseries de Beauvais exposées dans ses salles.

Aix-en-Provence, la cathédrale Saint-Sauveur : le triptyque du Buisson Ardent

Aix-en-Provence : le musée Granet

1 Mosaïque d'Orphée

2 Le guerrier Pergame

3 Têtes coupées d'Entremont

4 Bas-relief : la chambre de l'accouchée

5 Masque théâtral romain

Le musée Granet

Au XVIIIe siècle, la faculté des Arts de l'Université de Provence, sous l'impulsion des maîtres qui voulaient dispenser un enseignement en référence étroite aux modèles des artistes du passé, a constitué des « Cabinets d'antiques et de peintures » regroupant des collections d'œuvres de qualité. Le musée Granet depuis 1949, anciennement Musée d'Aix, installé depuis 1829 dans l'ancien prieuré des chevaliers de Malte, a récupéré et mis en valeur ces fonds divers. François Granet est né à Aix-en-Provence en 1775. Il devint le conservateur des musées royaux. À sa mort, en 1849, son œuvre – tableaux de la vie monastique et paysages provençaux – est venue compléter le fonds déjà si riche du musée qui porte désormais son nom. Toutes les écoles de peinture, qu'elles soient byzantines, flamandes, hollandaises, italiennes, françaises ou provençales, sont représentées dans un panorama exhaustif, depuis les triptyques byzantins du XIVe siècle jusqu'aux lumineux tableaux de Cézanne. Mais le musée Granet possède aussi un département d'archéologie particulièrement bien fourni. *Le guerrier Pergame* a mis un genou à terre et son regard, anxieux et pathétique, est bien dans la veine de ces œuvres produites par l'école grecque d'Asie Mineure au IIe siècle avant J.-C. Les deux sites archéologiques de la région, l'oppidum d'Entremont et la ville de *Aquæ Sextiæ* ont fourni la plus grande part des pièces exposées là. Le torse solide d'un guerrier vêtu d'une cuirasse, les étranges séries de têtes superposées et surtout ce bas-relief d'un cavalier à la tête coupée sont significatifs de l'art celto-ligure. Enfin les multiples poteries, mosaïques, bas-reliefs et peintures rappellent que Aix-en-Provence fut une grande cité gallo-romaine.

Cavalier à la tête coupée

1 L'aqueduc de Roquefavour

2 Le mausolée Joseph Sec

3 Le château de la Pioline

4 Le château du Tholonet

5 Le château de Vauvenargues

Autour d'Aix-en-Provence

En contre-jour sur le ciel pur, l'aqueduc de **Roquefavour** ajoute, à la performance technique, la beauté sobre de ses trois rangées d'arches qui supportent les eaux de la Durance courant vers Marseille.

La bastide provençale est une demeure campagnarde d'Ancien Régime, une maison de maître, largement ouverte sur son parc où les arbres des allées se penchent en tunnels de verdure s'échappant sur des perspectives en plans d'eau et des rotondes où bruissent des fontaines. **Le château de la Pioline** illustre cet âge d'or d'une aristocratie raffinée.

Le **mausolée Joseph Sec** est l'œuvre d'un menuisier d'Aix-en-Provence qui voulut, en 1792, apporter sa contribution aux idées révolutionnaires.

Au nord d'Aix-en-Provence, le plateau d'**Entremont** a vu naître puis prospérer, bien avant la création de l'élégante *Aquæ Sextiæ*, un oppidum celto-ligure. La ville haute, bardée de remparts, ordonne ses maisons de pierre, le long des ruelles au tracé régulier. La ville basse, au plan plus confus, pouvait être le quartier des artisans puisqu'on y a retrouvé, entre autres, la dalle d'un pressoir à huile. Un vaste portique orné de sculptures, n'a pas encore dévoilé sa véritable finalité. La lourde fortification qui court autour de la ville basse, avec ses tours rondes en appareil régulier, indique que, déjà, progressaient parallèlement l'art de fortifier les villes et la poliorcétique, celui de les assiéger.

Le château de **Vauvenargues** avait plu à Pablo Picasso. Il en fit sa demeure et fut inhumé là, sous le soleil provençal, au cœur de sa chère terrasse. Ce n'est pas seulement le château XVIIIe siècle avec sa façade régulière et l'agencement géométrique de son parc qui font du **Tholonet** un site plein de charme. La promenade jusqu'aux murs échancrés du très antique barrage romain rappelle avec quelle persévérance, ce peuple avait cherché à résoudre au mieux les problèmes de son approvisionnement en eau courante.

Le Tholonet : le barrage romain

La montagne Sainte-Victoire

La montagne Sainte-Victoire, confortée par l'arc presque parfait de la montagne du Cengle, flanque, en fidèle gardienne, la ville d'Aix-en-Provence. La blancheur éclatante de sa roche qui se fige, nette et claire, dans l'azur du ciel, en trahit la texture calcaire et l'érosion, qui s'acharne sur elle, lui taille cette échine de monstre tapi. L'origine de son nom est obscure. Est-ce le souvenir tenace de la victoire du général romain Marius qui est glorifié là ou plutôt et plus sûrement la dérive étymologique du nom d'un dieu celto-ligure ? Les deux thèses s'affrontent. Du pied de la Croix de Provence qui profile sa longue silhouette au sommet d'une barre rocheuse, s'ouvre le cercle parfait de l'horizon.

La minuscule chapelle de l'ermitage de Saint-Ser se fond dans la roche et cache, au creux de son abside, la petite grotte où vécut, loin des hommes et du monde, saint Ser le bon ermite.

Cézanne

Le peintre avait sous les yeux, à portée de palette, le modèle le plus docile mais aussi le plus fantasque, la montagne Sainte-Victoire. Il a repris près d'une soixantaine de fois sa toile vierge et, planté devant ce décor grandiose, il a inlassablement voulu capturer la lumière et le rythme, à la fois fluide et heurté, qui en organisent l'espace. Par les larges touches de ses aplats distribués en savante synthèse de formes et de couleurs, il élimine le trait et les ombres, trop figuratifs, et ne conserve que la symphonie des tons violines et jade pour ses ciels, le curieux mélange de ses verts déclinés jusqu'au noir et la mosaïque crépitante de chaleur de ses orange. Alors, certains soirs, quand elle le veut bien, la Sainte-Victoire renouvelle le miracle et nous offre un Cézanne.

La montagne Sainte-Victoire : l'ermitage de Saint-Ser

2

AUTOUR DE LA SAINTE-BAUME

Saint-Maximin-la-Sainte-Baume

Au bout de la plaine, par-delà les fines rayures parallèles et convergentes du vignoble varois, la silhouette de géant de la basilique Sainte-Marie-Madeleine, construite à la fin du XIIIᵉ siècle, capte les derniers rayons du soleil et jaillit au-dessus de la ligne brisée des toits de la ville. Pas de tours en dentelle de pierre, pas de flèche tendue vers le ciel au sommet du clocher, c'est par sa taille et sa masse, qu'elle s'impose comme un monument d'exception. C'est le cœur et la raison d'être de cette ville. Quadrillage des rues, places en décrochement où chantent les fontaines, remparts aujourd'hui disparus, tous les éléments d'une *ville neuve* sont déjà là. Il suffit alors à Charles II d'Anjou de découvrir, dirons-nous d'inventer, les tombeaux de sainte Marie Madeleine et saint Maximin et d'ordonner la construction de la basilique, pour que le hameau devienne belle ville et accueille les pèlerins les plus illustres. Du gothique, la basilique a reçu la légèreté des voûtes, reposant sur des faisceaux de piliers mais de l'art provençal, elle a gardé la sobriété et la lumière. C'est le ciel de Provence qui structure les volumes et, les jets de clarté bleu tendre des longues fenêtres de l'abside baignent la nef d'une douce lueur de paradis. Aussi, chaque siècle, chaque époque a voulu y adjoindre son propre concept de beauté jubilatoire. Du XVIᵉ siècle, nous est parvenu ce retable de la Passion où vingt-deux tableaux peints par Antoine Ronzen, en 1520, encadrent un christ en croix, entouré par les figures compassées des

Saint-Maximin-la-Sainte-Baume : la basilique Sainte-Marie-Madeleine

saints. Les stalles du XVIIe siècle, aux dossiers en médaillons sculptés, sont d'une finesse exemplaire. Le bois, taillé puis poli jusqu'à la perfection, s'incurve, se creuse, rebondit et laisse luire l'éclat de ses reflets fauves. Mais le XVIIIe siècle ne veut pas être en reste et la basilique se voit dotée d'une chaire où s'enroule un escalier spiralé sous un dais épanoui en triomphe. Sculptée, en 1756, par Louis Gudet, elle est une des pièces maîtresse de ce mobilier plein d'élégance qui a fait la renommée de la basilique. L'orgue que frère Isnard a fait construire en 1773, est un géant aux tuyaux innombrables, capable de moduler, sous les doigts agiles de l'artiste, les fins accords de cristal et les tumultes profonds des tempêtes.

Dans la crypte, caveau funéraire, se trouvent les sarcophages, du Ve siècle, de sainte Madeleine, sainte Marcelle, saint Maximin et saint Sidoine.

Le cloître du couvent royal s'ouvre sur un fouillis de buis, de tilleuls, de cèdres et de cyprès, au centre des bâtiments qui le cernent.

Le destin de Marie Madeleine

Marie de Magdala, la pécheresse, a su entendre la voix du Christ. Elle assiste au portement de la croix et ses larmes ont adouci les derniers moments de son Seigneur. On la retrouve sur la barque légendaire où ont pris place les deux Maries, Maximin, Lazare, Marthe et Sara. Marie Madeleine ne s'arrête pas aux Saintes-Maries-de-la-Mer mais veut continuer la route jusqu'à la sombre baume, la grotte au creux du massif. Trente ans de solitude et de prière, et les anges, pris de pitié, la ramènent, dans leurs ailes, jusqu'à Saint-Maximin-la-Sainte-Baume où elle expire. Alors commence l'étrange périple de ses reliques. Enterrées là, oubliées, volées, enfin miraculeusement retrouvées par Charles d'Anjou, le comte de Provence, elles feront la gloire de la cité de Saint-Maximin-la-Sainte-Baume.

Saint-Maximin-la-Ste-Baume : détail des stalles

Saint-Maximin-la-Ste-Baume : le cloître du couvent royal

1 Barjols : une fontaine

2 Saint-Julien-le-Montagnier :
l'église

3 Saint-Martin-de-Pallières

Au nord de Saint-Maximin-la-Sainte-Baume

Le pigeonnier de **Brue-Auriac**, massif et débonnaire, semble garder le passage vers **Barjols,** la ville perchée sur la *colline jolie*, comme l'indique l'étymologie de son nom. Cascades, fontaines moussues qui s'épanchent en doux murmures et lourd feuillage des places ombragées en font une bien agréable cité. L'ancienne collégiale Notre-Dame-des-Épines, aujourd'hui Notre-Dame-de-l'Assomption, du XIe siècle, a été très remaniée au cours de sa longue histoire. Son cloître a disparu et, au XVIIIe siècle, son clocher s'est paré d'un fragile campanile. Le **château de Saint-Martin-de-Pallières** domine le bourg et son église du XVIIe siècle. Avec la porte monumentale des Templiers le village de **Saint-Julien-le-Montagnier** a conservé un des plus précieux vestiges des remparts qui ceinturaient la ville. Bâtie au XIIIe siècle, son église présente des éléments carolingiens.

Brue-Auriac : le pigeonnier

Ferias et farandoles

C'est la lumière du ciel qui donne aux Provençaux, ce goût rare et merveilleux pour la fête, cette explosion de joie, collective et partagée. Corridas ou courses à la cocarde, toutes les *ferias* où combat le taureau, animal de légende, font vibrer dans un même élan, ces foules passionnées. Mais la fête, c'est aussi le port fier et élégant de ces belles Arlésiennes, avec leur longue robe colorée, les frous-frous légers de leur châle en dentelle et l'extraordinaire réussite du mariage délicat d'une coiffe toute en finesse et d'une coiffure en bandeaux, soulignant la ligne pure du visage. Muni du tambourin, fabriqué à Barjols par un artisan de génie Marius Fabre, et du galoubet, cette petite flûte à trois trous, en olivier ou en buis, le tambourinaïre entame une mélodie à nulle autre pareille, où se mêlent le son aigu et grêle du flûteau et la percussion, nerveuse et vive, de la baguette, sur la peau de chevrette tendue. Alors la farandole ondule et se vrille, se déroule et se perd au milieu des étoiles.

La fabrication d'un tambourin par Marius Fabre

Le massif de la Sainte-Baume

Montagne et forêt ont capturé ce nom de baume – la grotte en provençal – bénéficiant, sans complexe, de la célébrité déjà bien établie du refuge légendaire et sacré de Marie-Madeleine, la *princesse délurée*, touchée par la grâce divine et cherchant, dans ce paysage grandiose, la solitude nécessaire au repentir. Les lourdes strates sédimentaires, calcaires ou marneuses, n'ont pas subi sans broncher la grande bousculade entreprise, au ralenti, par les Alpes et les Pyrénées, qui entament, au cours de l'ère tertiaire, leur inexorable et interminable orogenèse. Et les couches calcaires se rident et se plissent et, parfois même quand la pression devient trop forte, se cassent et se redressent en barres rocheuses verticales. La Sainte-Baume, comme la Sainte-Victoire, procèdent de ces mouvements tectoniques et présentent des versants dissymétriques caractéristiques. Au sud, la couche calcaire s'élève en pente douce où rocaille et garrigue en lambeaux éclatent de couleurs brûlées par le soleil. Mais rien n'annonce la brutale verticalité du front blanc du versant nord qui domine, à ses pieds, les premiers vallonnements du plateau d'Aups, enfouis sous le manteau plein de douceur de la forêt domaniale de la Sainte-Baume. Humidité et fraîcheur pour ce versant qui regarde le nord, cet ubac où vient se coucher, immobile et épaisse, l'ombre portée de la grande falaise. La promenade sur les sentiers qui mènent à travers la forêt de hêtres, de tilleuls et d'érables vers la grotte, le refuge de légende de Marie Madeleine, est un enchantement et l'ascension jusqu'à la chapelle qui se dresse au sommet du Saint-Pilon procure l'étrange sensation de s'élever au-dessus des contingences bassement matérielles de la vie.

Les ruines de **l'abbaye de Saint-Pons**, ancien couvent cistercien pour femmes, se cachent au milieu de ce magnifique parc où, sous des coussins de mousses molles, se devine la rumeur légère des eaux fraîches des cascades.

Le massif de la Sainte-Baume, le parc de Saint-Pons : une cascade

Aubagne

Le rocher du Garlaban domine la cuvette où s'est développée Aubagne. Entre l'Huveaune et le Merlançon, la ville blanche, *Albinia*, était, déjà du temps des Romains, un marché actif. Dès le XVIᵉ siècle, le travail des potiers est attesté à Aubagne et les fabriques de santons perpétuent, depuis la Révolution française, cette tradition d'une crèche de Noël, peuplée de personnages typiques de la société provençale. En créant le *Petit Monde de Marcel Pagnol*, les santonniers ont voulu rendre hommage à cet enfant du pays, né à Aubagne en 1895. Depuis 1962 la Légion étrangère est stationnée dans la ville. Dans le musée du camp Viénot, souvenirs et témoignages glorifient le courage de ces soldats engagés dans tous les combats de notre histoire.

Tout près de là, la chapelle de **Saint-Jean-de-Garguier** abrite une collection d'ex-voto du XVᵉ siècle au XXᵉ siècle.

Aubagne : le monument aux morts de la Légion

Marcel Pagnol

Quand Marcel Pagnol a écrit *la Gloire de mon père*, en 1957, il plante le décor de son enfance en plein cœur de la garrigue. Le Garlaban, le Taoumé, la grotte du Grosibou et le château de la Buzine ont trouvé, sous la plume de Pagnol, une force de vie qui en fait désormais des lieux de légende. Ses personnages campent avec tellement de naturel et de spontanéité tous les genres humains, qu'ils en deviennent les archétypes émouvants, dans un monde plein de générosité et d'humour sage. De la trilogie marseillaise on retient, sans peine, les répliques de César bougonnant sur le Vieux-Port entre Monsieur Panisse et Monsieur Brun, mais Manon, Angèle, Naïs et Fanny ont gardé la fraîcheur de leur jeunesse où l'amour, l'honneur et la dignité ont tressé l'écheveau de leurs drames.

Le Petit Monde de Pagnol : la partie de cartes

Le Petit Monde de Pagnol : la pétanque

3

MARSEILLE ET SES CÔTES

Du cap Canaille
aux portes de Marseille

Les plissements anciens des couches sédimentaires calcaires ont ménagé, dans le massif rocheux, des dorsales étroites et des canyons aux pentes vives. Les cours d'eau ont longtemps emprunté ces passages obligés, surcreusant leur vallée fluviale pour atteindre un profil d'équilibre, à une époque où le niveau de la mer était, du fait de la glaciation quaternaire, bien plus bas que de nos jours. Il suffisait alors que le climat se radoucisse pour que la fonte des glaciers géants qui colonisaient l'intérieur du continent fasse lentement monter le niveau des eaux. Elles ont envahi les vallées fluviales et créé ces paysages d'une pureté exceptionnelle, les calanques.

Avec des reflets profonds virant du bleu turquoise au vert et au bleu de nuit, l'eau s'ourle de la dentelle écumante et légère des vagues têtues qui viennent mordre les hautes murailles. Baignés de bleu de mer à leur pied, la tête dans un ciel bleu roi, les calcaires rayonnent et éclatent en murailles dorées ou se dissolvent dans les replis lumineux des dolomites. Violence des couleurs qui se rehaussent et s'affrontent, violence des lignes de fuite opposées, passant sans compromis, de l'aplomb le plus vertical à la plus parfaite horizontalité, la nature a banni la monotonie et la fadeur de ces longues déchirures du rivage. Si l'antique forêt claire qui couvrait les pentes les plus douces a disparu, victime de l'inconscience des hommes, les oiseaux viennent toujours s'y enivrer de soleil, de vent et de lumière dorée. Au sud-est de Cassis, la route des Crêtes escalade le massif de la Saoupe jusqu'au cap Canaille et se joue du vertige au sommet des falaises du Soubeyran, les plus hautes de France.

Accessibles seulement par des sentiers de randonnée ou par la mer, les calanques se méritent et s'efforcent ainsi de protéger leur cœur de beauté pure. Avec des noms, aussi doux et limpides que leurs eaux, Port-Miou, Port-Pin, En-Vau, Sugiton, Morgiou, Sormiou, les calanques font le renom du port de **Cassis**. Ne prononcez pas la lettre *s*, c'est très mal vu, mais il est permis d'admirer ce port de pêche, niché dans un site si favorable qu'il devint très rapidement, station balnéaire et espace résidentiel. Le massif de Marseilleveyre, malgré son altitude modeste, présente des dénivellations telles, qu'il se déroule en formidable barrière rocheuse, prolongée, à l'est, par le massif du Puget. La route s'agrippe au-dessus des vagues et mène, par les Goudes, vers l'étroite calanque de Callelongue, mais elle n'ira pas plus loin.

Cassis : le port

Autour de l'embouchure minuscule de l'Huveaune, tout près du parc Borély, la plage du Prado s'étend depuis le port de plaisance de la Pointe-Rouge.

Le parc Borély, au sud duquel est campé le château renferme l'une des plus belles roseraies d'Europe ; il ne tranche pas dans la vieille querelle qui envenime les comparaisons entre les jardins à la française, géométriques et ordonnés et les jardins à l'anglaise, plus spontanés et naturels. Les deux écoles cohabitent sur ses cinquante-quatre hectares aménagés.

Agrippée, en surplomb, sur les rives escarpées de la rade de Marseille, la corniche du Président J.-F. Kennedy offre la perspective magique des îles jetées à la diable sur la courte frisure des flots et toute baignées d'un lumineux bleu pastel.

La route doit momentanément quitter la côte pour plonger dans le fouillis des ruelles du quartier d'Endoume, puis arrive au vallon des Auffes, qui aligne les taches colorées de ses bateaux de pêche, amarrés en épi le long des quais.

Marseille : le vallon des Auffes

Marseille Aquaforum

Près de la plage du Prado, le nouvel aquarium, Marseille Aquaforum, ne se contente pas de présenter les animaux étranges, qui peuplent les fonds marins. Bien sûr, plus de trois cent cinquante espèces et près de quatre mille poissons en font un des plus beaux aquariums de la région, mais c'est finalement l'eau, la source de toute vie, qui en est la vedette. Le milieu aquatique est décrit, échantillonné et analysé pour mieux comprendre notre planète. La Méditerranée, toute proche, est le principal sujet d'étude. La présentation très pédagogique des grands problèmes ou thèmes qui concernent ce milieu si fragile – pollution, équilibres physique et biologique, environnement et exploitation raisonnée – offre pistes d'investigations et axes de réflexion qui débouchent sur une prise de conscience salutaire pour notre avenir.

Marseille Aquaforum

Marseille

Un très ancien peuplement celto-ligure est attesté, du Rhône au Var, au cours du premier millénaire avant notre ère. Il a certainement servi de souche à ces peuples déjà organisés que sont les Salyens, groupés autour de leur capitale, bâtie sur les hauteurs d'Entremont. L'occupation de la côte, visitée par les navigateurs de plus en plus hardis, venus des rivages de la Méditerranée orientale, n'est en réalité, qu'occasionnelle et temporaire. Les Phocéens ont, depuis longtemps, tiré le long des rives de leur mer, les bords en étroits festons d'un cabotage, obligatoire vu les connaissances astrologiques et le repérage nautique de l'époque, et nécessaire au regard des ambitions commerciales de ces Hellènes entreprenants. Croiser devant le site de Marseille, 700 ans avant J.-C., c'est découvrir des falaises claires, plongeant dans l'indigo frangé d'écume et protégeant les minuscules croissants de sable des criques cachées et apercevoir, soudain, une corne de mer enfoncée, en mouillage profond, entre des collines qui surveillent de loin les petits îlots jetés en désordre, là-bas, à quelques stades de la côte. Découvrir ou retrouver ? Il est évident que les Phocéens se sont sentis comme chez eux dans ce paysage égéen. Il suffit donc de débarquer et d'établir, là, un comptoir commercial, puis une solide colonie grecque. *Massalia* a vu le jour vers l'an 600 avant J.-C. Il faut emprunter la voie pavée du **Jardin des Vestiges** jusqu'aux quais du port antique, battus désormais par des vagues de gazon frais, pour faire ressurgir du passé les trières élancées dansant sur les flots. L'embouchure du Lacydon se perdait dans un grand marécage où les hommes ont su, avec finesse, faire la part des eaux et de la terre. Et parce qu'ils se méfient d'une mer porteuse de tous les dangers, ils édifient de solides remparts pour y cacher leur vie et leurs trésors. Devant l'importance des découvertes archéologiques du quartier de la Bourse, la ville de Marseille crée, en 1972, le **musée d'Histoire**. Du portique de Roquepertuse à la construction navale antique décortiquée dans tous ses détails à partir de l'extraordinaire vestige d'un navire romain marchand, découvert en 1974, tout est là pour comprendre et aimer. *Massalia*, la grecque devient alors une cité, sage et tranquille, gouvernée par six cents *timouques,* ses riches citoyens-négociants, et rend fidèlement hommage à ses dieux tutélaires, les très helléniques, Apollon de Delphes et Artémis d'Éphèse. Pas de syncrétisme religieux, pas d'abandon de la langue grecque qui reste très pure, la cité ne renie pas ses origines phocéennes, bien au contraire, elle les exporte ! Au IIIe siècle avant J.-C.,

Quand Gyptis choisit Protis...

C'est l'amour et la grâce légère qui entourent la légende de la fondation de Marseille, racontée par Justin, un historien latin du IIe siècle après J.-C. La flotte des Phocéens, ces Grecs d'Asie mineure, vient de mouiller dans une rade enfouie dans d'épais marécages. Le voyage a été rude et les chefs de l'expédition grecque, Simos et le beau Protis, ont su, d'un simple coup d'œil, apprécier le site. Il leur suffit donc de rencontrer le roi de cette contrée et, forts de son amitié, de bâtir un port digne de ces grands navigateurs. Nann, le roi des Ségobriges qui contrôlent la région est très occupé. Il a organisé un banquet au cours duquel sa fille, la douce Gyptis, devra choisir son époux. La fête bat son plein et nos deux compères, accueillis en amis, sont invités à partager le festin. Tous les prétendants sont là, fébriles et anxieux, mais Protis est beau comme une statue de Phidias et Gyptis ne peut le quitter des yeux. Enfin, levant la coupe remplie d'eau claire, elle désigne cet inconnu, cet étranger au regard si doux... Il ne leur reste plus alors qu'à fonder Massalia et à s'aimer jusqu'à la fin des temps.

Massalia et la ville de Rome ont un ennemi commun, Carthage. Et l'alliance qui se noue, au cours de la deuxième guerre punique, semble si solide que Marseille, inquiète de la menace, de plus en plus précise, des turbulents peuples gaulois, trouve tout naturel de faire appel aux efficaces légions romaines pour rétablir l'ordre rompu. Rome n'en demande pas tant ! L'occasion de s'installer dans la Gaule transalpine est trop belle, pour la laisser passer. Et *Massalia* devient une enclave grecque sur un littoral de plus en plus romanisé. L'équilibre est fragile mais il existe. Il suffisait aux Massaliotes de ne pas prendre parti dans les querelles internes qui secouent Rome. Pompée et César, ces deux ambitieux, se disputent le pouvoir. Marseille, sous-estimant l'implacable César, choisit Pompée. Mais quand César triomphe, sa vengeance est terrible. Après un siège de six mois, *Massalia* tombe, en 49 avant J.-C., aux mains des Romains. Finis le brillant esprit grec, le commerce lucratif, l'indépendance et la liberté. Dépecée, anéantie, la cité a perdu sa flotte et ses comptoirs et doit se fondre dans le monde romain. Bien sûr, elle reste un port actif comme en témoignent les alignements de *dolia*, ces énormes poteries remplies d'huile, de vin ou de grains, conservées, *in situ*, dans le **musée des Docks Romains**.

Touchée par le christianisme qui se répand dans l'empire, Marseille aurait eu, elle aussi, son martyr, en la personne d'un certain Victor, assez mal connu et, semble-t-il, condamné par l'empereur Maximien, à la fin du IIIe siècle. Il est devenu le patron de **l'abbaye Saint-Victor** fondée au Ve siècle par Cassien. Gardienne du port, l'église a tout de la forteresse, avec ses murs en courtines, ses tours fortifiées et ses créneaux. La basilique, du Ve siècle, a été enfouie dans les fondations en labyrinthe de l'église du XIe siècle et abrite une série de sarcophages antiques et paléochrétiens. La pierre tombale d'Isarn, moine catalan, qui au XIe siècle entreprit la construction de la première église haute, est située dans l'une des cryptes qui mènent aux grottes-sanctuaires.

Le **Vieux-Port** où se distillent la bonhomie et le charme d'une ville qui chante en parlant, a longtemps concentré toute l'activité portuaire de Marseille. Les deux forts, Saint-Jean et Saint-Nicolas, en surveillaient étroitement les accès. Au fond de la crique, le sol spongieux des marécages était propice à la culture du chanvre, cette plante qui offrait, après un travail minutieux, une filasse bien nécessaire pour tous les cordages, drisses et haubans des voiliers du port. La chènevière, l'espace planté en chanvre, a donné son nom à la plus célèbre avenue de Marseille, la **Canebière**. Les plans d'urbanisme du XIXe siècle et l'ouverture de cette artère, qu'aurait pu tracer Haussmann, ont mutilé **l'église Saint-Ferréol** en faisant cet édifice tronqué, au décor extérieur disparate. Le **musée du Vieux-Marseille** s'était installé dans la maison Diamantée, du XVIe siècle. Chaque moellon, taillé en pointe de diamants, rehausse sa façade d'un décor d'ombres et de lumières. Actuellement fermé au public, le musée contenait une ravissante collection de costumes.

Marseille, l'abbaye Saint-Victor : un bas relief

Marseille : la Canebière

1. Le musée des Docks Romains :
une ancre

2. Le musée des Docks Romains :
mur de soutènement et dolia

3. Le fort Saint-Jean

4. La basilique Saint-Victor :
le sarcophage dit « des saints
Innocents »

Marseille

❶ Musée Grobet-Labadié : une
tapisserie des Gobelins, l'hiver

❷ Musée d'Archéologie : urne
cinéraire

❸ Musée d'Archéologie : grande
puxis grecque

❹ Musée Grobet-Labadié :
tableau d'un primitif italien

Les *boutis*, ces étoffes matelassées, donnaient, aux jupons si colorés, un volume tout en souplesse et les bonnets rivalisaient d'audace aussi bien dans l'incroyable finesse de leurs dentelles que dans le volume aérien de cette coiffe à la *frégate* gonflée de toutes les fronces de son gigantesque volant empesé. Une salle du musée était consacrée à la terrible peste de 1720. Marseille a reçu, dans sa rade, un bateau en provenance de Syrie, contenant des marchandises diverses destinées aux grands négociants de la ville, pressés de participer à la grande foire de Beaucaire. Les marchandises sont débarquées et, avec elles, le fléau terrible mais clandestin qui couvait sur le navire, la peste. Ses progrès sont si foudroyants que les galériens, requis pour enterrer les morts, ne suffisent plus à la besogne. Des morts par milliers jonchent les rues. 100 000 morts en Provence pour une imprudence cupide, le bilan est bien lourd. Dans la salle Camoin, du nom d'un cartier fameux du XVIIIᵉ siècle, l'industrie florissante de la carte à jouer était évoquée, avec ses outils, ses pierres lithographiques, ses pochoirs en forme d'as et son célèbre jeu de tarot marseillais. Tout près, la façade de l'hôtel de ville, très grand siècle, s'orne d'un médaillon en moulage aux armes du Roi-Soleil.

Le Centre de la Vieille-Charité, ancien hospice réalisé par Pierre Puget, artiste baroque marseillais, accueille, depuis peu, les collections de l'ancien musée d'Archéologie méditerranéenne et égyptienne du château Borély. Dans les murs du **musée Cantini**, cubisme, surréalisme, styles figuratif et non-figuratif ont trouvé une vitrine de choix.

Le **musée Grobet-Labadié** fut inauguré en 1926 et contient les collections léguées par la famille Grobet-Labadié à la ville de Marseille. L'exposition de 5 000 objets d'art révèle l'éclectisme et la sûreté du goût de ces riches négociants marseillais devenus mécènes ; parmi ces objets, des faïences, des instruments de musique anciens, un important fonds de dessins et du mobilier du XVIIIᵉ siècle…

Musée d'Archéologie : lion en terre cuite vernissée

Musée Grobet-Labadié : école flamande

C'est au XIXe siècle, avec le développement du commerce lié à l'édification d'un empire colonial africain, que Marseille se dote de grands édifices comme savait en produire, ce siècle de techniciens habiles. L'architecte Jacques Henri Espérandieu a voulu doter le piton rocheux qui domine Marseille de ses 162 mètres d'altitude, d'une basilique qui devait être la synthèse styles roman et byzantin. **Notre-Dame-de-la-Garde**, surmontée d'une statue géante dorée de la Vierge à l'Enfant, et toute tapissée de mosaïques et d'ex-voto, devint le symbole de cette *Bonne Mère* que l'on invoque si souvent à Marseille. Autre géant romano-byzantin, dans son habit rayé, la **cathédrale Sainte-Marie-Majeure** a éclipsé et même un peu tronqué l'ancienne Major, pourtant si sobre et si élégante. Le **palais Longchamp**, lui aussi du XIXe siècle, abrite dans ses deux ailes reliées par une colonnade ionique néo-classique au-dessus d'une cascade en jeux d'eau, le musée des Beaux-Arts et le muséum d'Histoire Naturelle.

Marseille : la Nouvelle Major

Une œuvre de Puget

Marseille : le palais Longchamp

Le château d'If

Il est de ces lieux qui doivent plus, à la légende ou à la fiction littéraire qu'à leur propre destin historique, une gloire toute auréolée de mystère. Le château d'If est de ceux-là. Alexandre Dumas, dans son célèbre roman, le *Comte de Monte-Cristo*, y enferme, pour quatorze longues années, Edmond Dantès, son héros, capable de tous les exploits, même celui, très improbable, de réussir à s'évader de cette prison pourtant réputée pour son excellent et très sûr système carcéral.

Mais le château d'If n'a pas toujours été une prison. Sur un petit rocher de l'archipel du Frioul, le roi François Ier, qui vient d'essuyer les attaques maritimes dirigées sur Marseille, par son ennemi et rival, l'empereur Charles Quint, décide de parer à toute nouvelle offensive venant du large en érigeant une forteresse. En quatre ans, de 1524 à 1528, la citadelle est achevée.

À la fin du XVIe siècle, le château, que l'on craint trop fragile, se hérisse d'une fortification supplémentaire avec courtines, tours de garde et bastions avancés. Conçu pour soutenir un siège, le fort devait pouvoir vivre en autonomie, aussi bien pour l'approvisionnement en eau que pour les vivres ou les munitions. La stabilité politique du XVIIe siècle va rendre quelque peu inutile le rôle de surveillance exercé par cette forteresse. En 1634, cette dernière est reconvertie en prison royale et ses défenses sont alors et jusqu'en 1872, des obstacles infranchissables pour les condamnés de tout poil, parmi lesquels on comptera le Masque de fer.

À quelques encablures de là, faisant partie du même archipel, les îles de **Pomègues** et de **Ratonneau** ont longtemps servi de lazaret. On y effectuait le contrôle sanitaire et l'isolement des malades atteints de maladies contagieuses, enfermés là pour une quarantaine de jours, mesure essentielle de prophylaxie, en cas d'épidémie grave.

Le château d'If : la cour et les cellules

La chaîne de l'Estaque

Sur cet étroit bourrelet de roches calcaires, la tectonique et l'érosion s'en sont donné à cœur joie pour compliquer un relief finalement sans altitude. Les plus hautes terres n'atteignent pas 300 mètres et pourtant, traverser le chaînon de l'Estaque tient encore un peu du prodige. Longtemps complètement enclavé par ses dénivellations rocailleuses et arides, le paysage ne s'animait que du galop léger de ses chèvres du Rove, réputées pour leur fromage odorant, la brousse. Avec la révolution technique du XIXᵉ siècle, la rugueuse langue de calcaire s'est vue striée, puis percée de part en part pour ouvrir un passage aux hommes et à leurs marchandises. Tunnel de chemin de fer, voie ferrée côtière, tunnel routier et surtout le tunnel du Rove qui est un canal souterrain, avaient comme objectif de faire communiquer, dans les meilleurs délais, la rade marseillaise et l'étang de Berre. Malheureusement, le tunnel du Rove, en partie éboulé, n'est plus utilisé depuis 1963. Mais la présence d'une grande métropole comme Marseille ne pouvait qu'influencer de développement de cette zone quasiment vide. La Côte Bleue, de l'Estaque au cap Couronne, avec ses criques découpées en profondes calanques, ses falaises claires coiffées de pins échevelés et de chênes frissonnants, devient un espace de loisirs privilégié. Même si l'**Estaque** fut le lieu de rendez-vous des grands artistes de la fin du siècle dernier – on y a vu Saint-Pol-Roux le poète et Zola l'écrivain, mais aussi Cézanne, Dufy et Braque qui venaient y retrouver la lumière unique de son ciel – la petite ville, devenue banlieue industrielle de Marseille, a un peu perdu de son charme d'antan. Les étroites calanques de **Niolon** et de la **Vesse** plongent, en chute libre, sur le bleu turquoise des eaux et le petit port de pêche de **Carry-le-Rouet** est devenu une belle station balnéaire comme **Sausset-les-Pins** et **Carro**, noyées dans les frondaisons légères de leurs pinèdes aux doux effluves.

La calanque de Niolon

L'étang de Berre

Avec sa forme en aile de papillon, l'étang de Berre dispose d'un vaste espace qu'il ouvre aux oiseaux batailleurs et au vent léger. Les eaux peu profondes du lac ont noyé une grande dépression aux formes molles, cernée par les mamelons calcaires des collines qui l'entourent. Cette aptitude à la douceur et au calme en fait, depuis longtemps, un lieu cher aux hommes. Les habitats en abris-sous-roche, néolithiques et protohistoriques, ainsi que les *oppida* gaulois, sont encore là pour le prouver.

Par sa position, aux côtés de la grande agglomération marseillaise, il devint vite un exutoire pour les tentacules, démesurées et envahissantes, des banlieues industrielles. Les installations portuaires et pétrolières ont colonisé ses abords et menacé, un moment, l'équilibre écologique de ce milieu fragile. Fort heureusement, la lucidité et le courage des hommes, ont permis de renverser l'effroyable penchant et désormais l'étang, ausculté et analysé régulièrement, a retrouvé la physionomie agréable d'un site privilégié.

Dans le quadrillage complexe de ses canaux, **Martigues** garde son âme de ville paisible. Les eaux, assagies et lissées en plan lumineux, capturent les couleurs vives des barques et des volets, et les renversent dans les longues ondulations du *Miroir aux oiseaux*. L'église de la Madeleine, du XVIIe siècle, a su préserver sa façade baroque. De l'autre côté des eaux, dans le quartier de Ferrières, le musée Ziem conserve les toiles de ce peintre qui a vécu et travaillé à Martigues, et a légué, au musée de la ville, une bonne trentaine de ses œuvres. Depuis 1972, une arche projetée en suspension, au-dessus du canal de Caronte, supporte l'incessante noria des véhicules qui empruntent ce viaduc autoroutier.

La cité de **Saint-Mitre-les-Remparts** a gardé dans son nom le caractère principal de son site. Une longue muraille fortifiée ceinture le

Martigues, le musée Ziem : la mosquée de Martigues (Ziem)

◀ Martigues : l'église de la Madeleine et le canal

village et s'ouvre sur deux portes qui ont encore bien fière allure. Sur une éminence escarpée, surplombant les taches gris-bleu des étangs qui les cernent, les ruines de l'oppidum du **site archéologique de Saint-Blaise** dévoilent une phase de la longue histoire de ces populations qui avaient, déjà bien avant l'arrivée des Romains, occupé et mis en défense ces hauteurs stratégiques. La chapelle de Saint-Blaise est un minuscule édifice du XIIe siècle, bâti aux côtés des ruines d'une église plus ancienne. La porte d'Arles à **Istres** mène vers le vieux centre aux ruelles en pente bordées d'anciennes demeures des XVIIe et XVIIIe siècles. Depuis la colline d'où la vue s'échappe, entre les branches légères des oliviers et les lourdes ramures des figuiers, vers le scintillement bleuté de l'étang de Berre, **Miramas-le-Vieux** n'a pas perdu sa vocation de surveillance. Village perché, il se cache toujours derrière ses remparts et ses portes fortifiées.

La décoration en façade de l'église baroque de **Saint-Chamas** est unique. Centrée sur une *pietà*, d'ordinaire réservée à la statuaire interne, elle devient franchement originale, avec son tympan sculpté entièrement dans le bois. La ligne courbe qui préside à l'esthétique baroque se retrouve jusque dans l'architecture de son clocher. La falaise qui court près du rivage de l'étang, usée en strates horizontales, a été creusée en habitats troglodytiques, au-dessus du port tranquille où dansent les barques. À la sortie de Saint-Chamas, le solide **pont Flavien** s'arc-boute, en un seul jet, au-dessus de la Touloubre et s'orne de deux beaux arcs de triomphe qui en marquent les limites. Les traces des chariots antiques sont encore visibles sur les grosses dalles claires qui lui servent de tablier. La décoration très fouillée des arcs reprend les thèmes chers à la monarchie impériale d'Auguste, rinceaux, aigles et gentils lions appuyés sur leurs pattes avant, la croupe redressée dans un long étirement félin. Une inscription rappelle, pour l'éternité, que *Flavius* a bien voulu construire ce pont… Flavien.

La chapelle Saint-Blaise

INDEX